10

solutions contre l'inquiétude

Comment se calmer l'esprit, se détendre le corps et reconquérir sa vie.

solutions contre l'inquiétude

Comment se calmer l'esprit,
se détendre le corps et reconquérir sa vie.

Kevin L. Gyoerkoe, Psy. D.
Pamela S. Wiegartz, Ph. D.

97-B, Montée des Bouleaux, Saint-Constant, Qc, Canada J5A 1A9
Tél. : 450 638-3338 Téléc. : 450 638-4338
Internet : www.broquet.qc.ca Courriel : info@broquet.qc.ca

Catalogage avant publication de Bibliothèque et Archives nationales du Québec et Bibliothèque et Archives Canada

Gyoerkoe, Kevin L.
10 solutions contre l'inquiétude
(10 solutions)
Traduction de : 10 simple solutions to worry.
ISBN 978-2-89000-974-5

1. Inquiétude. 2. Gestion du stress. I. Wiegartz, Pamela S. II. Titre.
III. Titre : Dix solutions contre l'inquiétude.

BF575.W8G9614 2008 152.4'6 C2008-941553-1

Pour l'aide à la réalisation de son programme éditorial, l'éditeur remercie :
le gouvernement du Canada par l'entremise du Programme d'Aide au Développement de l'Industrie de l'Édition (PADIÉ) ; la Société de Développement des Entreprises Culturelles (SODEC) ; l'Association pour l'Exportation du Livre Canadien (AELC). Le gouvernement du Québec – Programme de crédit d'impôt pour l'édition de livres – Gestion SODEC.

Traduction : Patricia Ross
Révision : Frédéric Litia, Andrée Laprise
Infographie : Nancy Lépine

Dépôt légal – Bibliothèque et Archives nationales du Québec
3e trimestre 2008
ISBN 978-2-89000-974-5

Imprimé au Canada

Crédit photographique
Page couverture : Petro Feketa – dreamstime.com

Note de l'éditeur
Toutes les mesures ont été prises pour valider l'information présentée dans ce livre et décrire les pratiques généralement reconnues. Cependant, les auteurs, rédacteurs et éditeurs ne sont pas responsables des erreurs ou omissions, ni d'éventuelles conséquences dans l'application de l'information contenue dans ce livre et ne donnent aucune garantie, expresse ou implicite, à l'égard du contenu de cette publication.
Les auteurs, rédacteurs et éditeurs ont fait tous les efforts nécessaires pour s'assurer que les choix de médicaments et de dosages énoncés dans ce livre sont conformes aux recommandations et aux pratiques en vigueur au moment de la publication. Toutefois, compte tenu des recherches en cours, des changements dans les règlements gouvernementaux et du flux constant d'informations ayant trait à la chimiothérapie et aux réactions médicamenteuses, le lecteur est invité à vérifier la notice de chaque médicament pour s'enquérir de toute modification de posologie et d'indications et pour lire les avertissements et les précautions supplémentaires à prendre. Cette mesure est particulièrement importante lorsque l'agent recommandé est un nouveau médicament ou un produit médicamenteux rarement employé. Certains médicaments et dispositifs médicaux présentés dans cette publication peuvent être autorisés par la Food and Drug Administration (FDA) pour un usage limité et dans des paramètres restreints de recherche. Il est donc de la responsabilité du fournisseur de soins de santé de s'assurer auprès de la FDA du statut de chaque médicament ou dispositif qu'il prévoit utiliser dans sa pratique clinique.

Table des matières

Remerciements

Nous tenons à remercier nos éditrices chez New Harbinger Publications – Tesilya Hanauer, Heather Mitchener et Jasmine Star – pour leur soutien et leur assistance dans la préparation de ce livre. Nous sommes également reconnaissants envers Laura Miller, MD, et Radmilla Manev, MD, qui ont lu les premières ébauches et fourni de précieux commentaires sur les moyens d'améliorer le contenu de ce texte.

Nous sommes aussi grandement redevables aux chercheurs qui ont consacré leur carrière à étudier et à traiter l'anxiété. Parmi les responsables de l'élaboration et de l'étude des traitements qui sont décrits dans ce livre, mentionnons David H. Barlow, Thomas D. Borkovec, Aaron T. Beck, Michel J. Dugas, Robert Ladouceur, Adrian Wells, Richard G. Heimberg et Michelle G. Craske.

Enfin, nous tenons avant tout à remercier nos patients, qui nous ont appris tout autant que nous leur avons enseigné comment surmonter l'anxiété.

Introduction

Annoncez à votre entourage que vous souhaitez écrire un livre sur l'inquiétude et la réaction sera presque toujours la même : «Je veux un exemplaire!» Bien sûr, si vous écrivez un livre sur ce sujet, c'est exactement ce que vous voulez entendre. Cette réponse met néanmoins en lumière l'omniprésence de l'inquiétude dans notre monde actuel. Imprégnés d'un sentiment de danger qui rôde à tous les détours, nous vivons en fait une véritable époque d'inquiétude. Car il n'y a pas que les menaces spectaculaires et médiatiques qui nous préoccupent, il y a aussi toutes celles qui pèsent sur notre quotidien. Nous nous inquiétons de notre situation financière, de notre santé, de nos relations personnelles, de nos enfants... À vrai dire, nous nous inquiétons même de notre propre inquiétude!

Et nous avons raison. Ceux qui souffrent d'une inquiétude excessive et incontrôlée savent d'ailleurs très bien qu'elle peut causer des problèmes importants. Les anxieux chroniques souffrent de symptômes physiques tels que maux de tête, maux de dos, maux d'estomac et insomnie. Des relations naguère étroites deviennent distantes et tendues, marquées par des disputes, de l'irritabilité et un repli sur soi. La consommation d'alcool augmente et des troubles mentaux connexes comme la dépression ou la panique peuvent alors apparaître. La productivité au travail diminue, la procrastination s'installe et des activités agréables, comme faire de l'exercice ou aller au restaurant avec des amis, sont mises à l'écart. L'inquiétude excessive affecte vraiment toutes les facettes de la vie.

Heureusement, il y a de l'espoir ! Le livre *Dix solutions contre l'inquiétude : comment se calmer l'esprit, se détendre le corps et reconquérir sa vie* vise particulièrement le problème de l'inquiétude excessive. Préconisant des méthodes de thérapies cognitivo-comportementales (TCC) éprouvées scientifiquement, cet ouvrage est tout indiqué pour les personnes qui s'inquiètent trop. Vous y trouverez un guide concis qui décrit les principales thérapies cognitivo-comportementales pour maîtriser l'inquiétude. Nous avons choisi ces stratégies soigneusement et en raison de leur puissant effet sur l'inquiétude.

Malgré la ténacité de l'inquiétude, la recherche démontre que les stratégies présentées dans cet ouvrage peuvent être remarquablement efficaces. Dans une étude réalisée par Thomas Borkovec, celui-ci compare les thérapies cognitivo-comportementales aux techniques de relaxation visant à pratiquer une approche thérapeutique plus traditionnelle. Cette étude a révélé que les personnes souffrant d'inquiétude chronique et présentant la plus nette amélioration de leur état étaient celles qui étaient traitées par l'une ou l'autre de ces techniques, à savoir la relaxation et les thérapies cognitivo-comportementales (Borkovec et Costello, 1993). Une autre étude, menée par Robert Ladouceur et ses collègues, a montré que le traitement cognitivo-comportemental de l'inquiétude au moyen de stratégies similaires à celles décrites dans ce livre, telles que l'exposition à l'inquiétude et l'acceptation de l'incertitude, étaient elles aussi efficaces pour traiter l'inquiétude chronique (Ladouceur, Dugas *et al.*, 2000).

Nous pouvons également témoigner de la valeur de ces techniques car nous les utilisons quotidiennement dans nos propres pratiques. En fait, nous nous sommes servis de toutes les étapes décrites dans ce livre pour aider des centaines de patients à apprendre à maîtriser leur inquiétude. Et nous continuons à utiliser ces stratégies... parce qu'elles fonctionnent!

Nous sommes donc très heureux de vous présenter ces techniques de pointe. Dans notre pratique quotidienne, nous entendons souvent dire que les thérapies cognitivo-comportementales pour traiter l'anxiété ne sont pas accessibles à tout le monde. En dépit de la croissance rapide de ces thérapies au cours des dernières décennies, c'est malheureusement souvent le cas – même dans une grande agglomération comme Chicago, ville où nous pratiquons notre profession. Nous avons écrit ce livre pour contribuer à combler cette lacune et vous offrir ainsi les mêmes outils que ceux que nous offrons à nos patients, et qui leur sont si utiles. Grâce à ces outils, nous espérons que vous pourrez vous aussi vivre une vie libérée de toute inquiétude stérile.

Comment utiliser ce livre?

En lisant ce livre, vous constaterez que chaque chapitre contient deux parties. Tout d'abord, nous décrivons une technique précise pour maîtriser l'inquiétude. Ensuite, nous proposons plusieurs exercices à faire vous-même et qui vous permettent d'appliquer la technique à votre propre inquiétude. Nous avons inclus des exercices d'auto-assistance, car ils sont essentiels à votre réussite. Si vous voulez vraiment apprendre à maîtriser votre inquiétude, il est important de faire ces exercices. Surmonter l'inquiétude demande du temps et des efforts. Comme le font tous nos patients, il est essentiel de prendre un stylo et une feuille de papier puis de vous atteler à la tâche.

Hormis la pratique des exercices d'auto-assistance, vous profiterez au maximum de ce livre si vous suivez les conseils suivants :

- ❖ Gardez ce livre sur vous. Il est conçu en format poche pour vous permettre de travailler sur la maîtrise de votre inquiétude… où que vous vous trouviez.

- ❖ Procurez-vous un cahier dans lequel vous noterez vos exercices d'auto-assistance.

- ❖ Utilisez ce livre comme un adjuvant à la thérapie. Auto-assistance et thérapie vont souvent de pair. Si vous suivez actuellement une thérapie pour traiter votre inquiétude, les exercices contenus dans ce livre peuvent contribuer à accélérer vos progrès.

- ❖ Récompensez-vous de vos efforts. Changer n'est pas facile. Vous méritez donc une gratification pour votre travail acharné. Ce peut être une modeste rétribution, un dessert par exemple ou quelque chose de plus grande ampleur comme des vacances. Quoi qu'il en soit, récompensez-vous de travailler si fort afin de maîtriser et surmonter votre inquiétude. Nous vous souhaitons bonne chance dans votre quête !

Dans nos pratiques, nous sommes des témoins de première ligne des avantages qu'il y a à apprendre à gérer l'inquiétude. Chaque jour, nous voyons la joie, le bonheur, la paix et la productivité refleurir dans la vie de nos patients.

Nous espérons que ce livre vous apportera les mêmes bienfaits.

À Jackie, Jake et Buddy

Kevin L. Gyœrkœ

À Tommy et Mike

Pamela S. Wiegartz

1

Chapitre

Comprendre l'inquiétude

Il peut être parfois difficile, même pour les psychologues et les thérapeutes, de comprendre l'inquiétude. Dans ce chapitre, nous allons percer le mystère de l'inquiétude en la définissant clairement, en expliquant la différence entre l'inquiétude productive et l'inquiétude improductive, et en décrivant les quatre principales façons dont l'inquiétude peut vous affecter. Nous allons aussi vous initier à l'auto-surveillance, technique qui vous aidera à comprendre et à maîtriser votre propre inquiétude.

Qu'est-ce que l'inquiétude ?

Étonnamment, et bien que l'inquiétude soit une expérience humaine universelle, elle s'est longtemps révélée très difficile à définir clairement (Mennin, Heimberg et Turk, 2004). Ce n'est que tout récemment que les chercheurs en ont acquis une meilleure compréhension.

À partir de recherches intensives, portant sur des personnes qui s'inquiètent à l'excès, nous savons maintenant qu'une définition précise de l'inquiétude se compose de trois éléments principaux : une pensée orientée vers le futur, une pensée catastrophiste, une pensée formulée en mots.

L'orientation vers le futur est la première composante essentielle de l'inquiétude. En d'autres termes, lorsque vous vous inquiétez, vous vous concentrez invariablement sur quelque chose qui pourrait se produire, mais ne s'est pas encore produit. Cette notion peut prêter à controverse. En fait, vous pourriez même être en désaccord avec elle. Vous pourriez objecter que vous vous inquiétez au sujet de choses qui se passent *en ce moment,* et non pas dans le futur. Cependant, un examen plus attentif révèle la vérité :

l'inquiétude est comme une boule de cristal hantée qui vous tourmente en vous donnant une vision terrifiante de l'avenir.

Prenons un exemple. Supposons que vous soyez en route pour une importante réunion et ayez soudain une crevaison. Cela vous rend anxieux, stressé et inquiet. Toutefois, avant de supposer que c'est la situation actuelle qui vous inquiète, posez-vous donc cette question : votre inquiétude a-t-elle vraiment trait à la crevaison ? Ou alors vous inquiétez-vous plutôt des répercussions possibles ? Si vous vous sentez inquiet, votre esprit est fort probablement en train de se débattre avec des pensées lui exposant les conséquences futures de cette crevaison. Vous pouvez penser : « Combien cela va-t-il me coûter ? Qu'arrivera-t-il si je suis en retard à cette importante réunion ? Je pourrais me faire tuer... les pneus de ma voiture sont-ils sûrs ? Pour l'heure, je vais probablement devoir annuler mon rendez-vous de ce soir. » Comme vous pouvez le constater, lorsque l'inquiétude frappe à la porte, même lors d'un événement réellement fâcheux tel une crevaison, elle vous inflige de la douleur par le seul regard qu'elle vous fait porter sur l'avenir... à l'égard de catastrophes qui ne sont pas encore produites.

Bien sûr, le seul fait que l'objet de l'inquiétude soit orienté vers le futur ne permet pas en soi de saisir pleinement l'essence de l'inquiétude. Après tout, une vision positive de l'avenir peut vous donner espoir et vous rendre très heureux, par exemple lorsque vous pensez à des vacances relaxantes à venir ou anticipez une journée particulièrement passionnante. Pour qu'il y ait inquiétude, vos réflexions sur l'avenir ne peuvent pas être encourageantes ou positives. Elles doivent comporter un *élément de catastrophe* – deuxième composante de l'inquiétude. En effet, lorsque vous vous inquiétez, vous pensez à l'avenir dans un contexte fortement négatif. Vos pensées se concentrent presque exclusivement sur les pires résultats possibles et sur toutes les conséquences catastrophiques possibles dans votre vie future.

David, entrepreneur à Chicago, nous fournit un bon exemple du processus de pensée catastrophiste. Lorsqu'il s'est vu prescrire un traitement pour contrer l'inquiétude, il venait de lancer sa première entreprise, un magasin de glaces italiennes. David caressait depuis longtemps le rêve d'ouvrir une boutique dans un quartier branché et huppé de Chicago. Lors de son dernier emploi, il avait passé le plus clair de son temps à fantasmer sur ce projet. Il était toujours excité et enthousiaste quand il s'imaginait en train d'accueillir ses clients et de leur servir leur glace préférée par une chaude journée d'été.

Toutefois, lorsque vint le moment d'ouvrir les portes de son magasin, David se sentait incroyablement anxieux et inquiet. La joie et l'excitation qu'il ressentait auparavant avaient cédé le pas à la peur et à l'appréhension. Pourquoi ce changement soudain? La raison en était simple: les pensées joyeuses de David à propos de la future gestion de sa propre entreprise s'étaient transformées en pensées essentiellement centrées sur les possibilités de catastrophes que recelait ce projet. Toute la journée, son esprit ruminait des pensées négatives: «Et si j'échoue? Je ne serai pas en mesure de reprendre mon ancien emploi. Ma réputation sera ruinée. Nul ne voudra plus jamais m'embaucher. Comment vais-je payer mes factures? Et qui va payer les cours de mon fils au collège? Ma femme me quittera. Mon fils me rejettera. Je ne serai pas en mesure de subvenir à ses besoins. Je vais perdre ma maison. Je vais finir sur la paille. Je vais être la risée de tous. Ma vie sera finie.»

Comme vous pouvez le voir, l'inquiétude de David repose sur des pensées répondant aux deux premiers critères de l'inquiétude:

elles sont orientées vers le futur et comportent un scénario catastrophe.

La dernière clé de notre définition de l'inquiétude a été découverte par accident. Pionnier dans la recherche sur l'inquiétude, Thomas Borkovec s'est d'abord intéressé à l'insomnie. Au cours de ses recherches avec des patients qui présentaient des troubles du sommeil, il a fait une découverte intéressante : il a constaté que les personnes qui avaient de la difficulté à trouver le sommeil présentaient une activité mentale excessive qui semblait similaire à l'inquiétude. Il a également noté que cette activité mentale se manifestait surtout en mots et non en images. Son travail auprès de patients souffrant d'insomnie a conduit Borkovec à émettre l'hypothèse que lorsque des personnes s'inquiètent, elles pensent presque exclusivement en mots (Borkovec, 1979). Ses recherches ultérieures ont confirmé cette théorie (Borkovec et Inz, 1990).

Ce travail a conduit à la définition de la dernière composante de l'inquiétude : une pensée qui *se formule en mots.* Dans une ambiance normale et détendue, nous pensons à la fois en mots et en images. Toutefois, bien que notre inquiétude commence souvent par des images effrayantes, ces images sont en grande partie bloquées par des mots qui se bousculent et dominent notre pensée. La prochaine fois que vous vous inquiéterez, vous pourrez le constater par vous-même… en vous mettant à l'écoute de votre pensée. Que se passe-t-il dans votre esprit ? Vous observez votre voix intérieure prendre le relais. Les images – effrayantes ou non – affluent et vous devenez incapable de penser à autre chose. Vos pensées sont alors réduites à un monologue qui martèle des prévisions d'avenir catastrophiques.

La pensée orientée vers le futur, la pensée catastrophiste et la pensée à dominante verbale sont les trois éléments qui composent l'inquiétude. Borkovec et ses collègues ont résumé ces trois composantes en décrivant l'inquiétude comme consistant à « se dire à soi-même beaucoup de choses négatives... que nous craignons voir se produire dans le futur » (Borkovec, Ray et Stöber, 1998 : 562). Cette description reflète la véritable essence de l'inquiétude.

DEUX TYPES D'INQUIÉTUDE

Maintenant que vous comprenez de quoi se compose l'inquiétude, intéressons-nous à deux types différents d'inquiétude : l'inquiétude productive et l'inquiétude improductive. Nos patients sont souvent très heureux d'apprendre à distinguer ces deux types d'inquiétude. Ce faisant, ils peuvent reconnaître les avantages importants de l'inquiétude productive et se fixer ainsi un objectif réaliste en vue de maîtriser leur inquiétude improductive. Comprendre la différence entre ces deux types d'inquiétude vous sera très utile.

L'INQUIÉTUDE PRODUCTIVE

Il est important de comprendre que l'inquiétude n'est pas toujours mauvaise. En fait, elle est un outil de survie extrêmement important. Au fil de leur évolution, les hommes qui s'inquiétaient de leur prochain repas – et qui conséquemment se sont arrangés pour disposer de réserves de nourriture suffisantes – ont survécu et ont augmenté leurs chances de rester en bonne santé. Ceux qui ne se sont pas inquiétés furent les plus susceptibles de mourir de faim. De la même manière, l'inquiétude peut vous aider à résoudre des problèmes et à gérer les menaces dans votre propre vie. Par exemple, si vous vous inquiétez au sujet de votre santé, cela pourrait vous inciter à procéder à des changements positifs, comme arrêter de fumer ou augmenter votre activité physique. Ces actions sont le résultat d'une inquiétude productive. Cette dernière vous aide à résoudre des problèmes réels et immédiats dans votre vie (comme payer une facture de carte de crédit en retard) ou vous invite à contrer une menace future réaliste (comme améliorer la qualité de votre alimentation afin de diminuer le risque de maladie cardiaque). Bref, l'inquiétude productive est centrée sur un problème réaliste et génère des mesures claires et précises pour résoudre ce problème.

L'INQUIÉTUDE IMPRODUCTIVE

L'inquiétude improductive est au centre des solutions décrites dans ce livre. Deux éléments clés caractérisent l'inquiétude improductive. Le premier, c'est que l'inquiétude ne génère aucune ligne de conduite précise à adopter. Prendre des mesures productives constitue l'un des plus grands antidotes à l'anxiété et au stress. L'anxiété est une réponse de lutte ou de fuite – un mécanisme corporel intégré de réponse face à des risques. L'anxiété vous aide à réagir face à la menace. Malheureusement, ce n'est pas le cas de l'inquiétude improductive – cette dernière vous paralyse, faisant obstacle à toute action efficace. Au lieu de prendre des mesures concrètes pour résoudre un problème réel, vous restez coincé dans le bourbier de l'inquiétude improductive.

Le deuxième élément qui caractérise l'inquiétude improductive, c'est qu'elle est centrée sur une éventualité peu probable, tel un écrasement d'avion ou un acte terroriste. Regardons les choses en face : la vie comporte des risques. Chaque jour nous faisons face à de nombreux dangers. Toutefois, en concentrant votre attention sur des menaces lointaines, vous ressentez en pure perte de la tension et de l'anxiété ; vous perdez ainsi du temps et gaspillez de l'énergie. Pire encore, sur la base de ces craintes, vous pourriez prendre des décisions portant atteinte à votre qualité de vie. Vous pourriez par exemple vous sentir nerveux à l'idée de prendre l'avion, par crainte d'un écrasement. Certes, les avions peuvent s'écraser et cela se produit. Toutefois, de tels cas sont statistiquement extrêmement rares. Et en évitant de prendre l'avion pour éviter une catastrophe très peu susceptible de se produire, vous passez de la sorte à côté d'occasions et de possibilités de voyager. Mettez l'inquiétude improductive en parallèle avec l'inquiétude productive, celle qui dynamise et vous fait apporter des changements positifs dans votre vie. Vous verrez alors en quoi l'inquiétude improductive est tellement destructrice.

Exercice : votre inquiétude est-elle productive ?

La prochaine fois que vous vous surprendrez à être inquiet, déterminez si votre inquiétude est productive ou improductive. Pour ce faire, prenez votre cahier et faites une description précise de votre inquiétude. Par exemple, vous pourriez écrire : « je vais échouer à mon examen final ». Une fois que vous avez clairement reconnu votre préoccupation, posez-vous ensuite les questions suivantes :

- Suis-je centré sur un problème réaliste ?
- Le problème peut-il être résolu ?
- L'inquiétude me motive-t-elle à agir ?

❖ Suis-je en train d'élaborer des solutions potentielles?

❖ Suis-je en train de mettre en branle ces solutions?

Si vous avez répondu non à l'une ou l'autre de ces questions, votre inquiétude est fort probablement improductive, ce qui provoque en vous des sentiments inutiles de nervosité, d'anxiété et de stress.

Les répercussions de l'inquiétude

Lorsque vous vous inquiétez, vous faites une expérience complète qui affecte les principales parties de votre vie affective: ce que vous pensez, ce que vous faites, ce que vous ressentez et les rapports que vous entretenez avec autrui. Pour mieux comprendre comment l'inquiétude vous affecte, étudions ensemble chacun de ces éléments: l'aspect cognitif, l'aspect comportemental, l'aspect physiologique et les relations interpersonnelles.

L'ASPECT COGNITIF

On entend par aspect cognitif de l'inquiétude les pensées qui germent lorsque vous vous inquiétez. Une «cognition», c'est tout simplement une pensée. Comme nous l'avons noté dans notre définition de l'inquiétude, les réflexions négatives ou catastrophiques sur l'avenir dominent votre esprit lorsque vous vous inquiétez. À titre d'exemple, les personnes qui s'inquiètent pour leur santé pourraient avoir des cognitions telles que «Et si un jour j'ai le cancer? J'aurais une mort horrible et douloureuse. Ma famille va souffrir de me voir diminué. Ça va être terrible. Je ne pourrai pas supporter cela. La chimiothérapie va me rendre tellement malade. Et si j'avais déjà un cancer? Je pourrais être malade et ne pas le savoir. C'est terrible! Ça m'est insupportable. »

L'ASPECT COMPORTEMENTAL

On entend par aspect comportemental de l'inquiétude la façon dont vous réagissez, en réponse à l'inquiétude. Vos réactions peuvent généralement être réparties en deux catégories comportementales générales. La première consiste en une tentative de réduire votre anxiété au moyen d'une certaine action. Cela signifie que vous pourriez chercher à vous rassurer auprès d'un ami en qui vous avez confiance, ou alors adopter des comportements compulsifs, tels que vérifier ou répéter. La deuxième catégorie consiste en un comportement d'évitement. L'évitement signifie simplement que vous restez loin de la source de votre anxiété ou de votre inquiétude. Tergiverser sur une tâche stressante à faire, fuir un ami avec lequel vous avez un conflit ou éviter le contact direct avec votre directrice parce que vous craignez qu'elle vous congédie: voici diverses formes d'évitement.

L'ASPECT PHYSIOLOGIQUE

L'inquiétude chronique est physiquement stressante; elle peut causer une grande variété de symptômes physiques. Tension musculaire, difficultés de concentration, agitation, fatigue et insomnie sont quelques-uns des symptômes les plus communs ressentis par les inquiets excessifs (American Psychiatric Association, 2000). En outre, ces personnes peuvent ressentir d'autres symptômes d'anxiété tels que tremblements, sudation, bouffées de chaleur, sensations ébrieuses, essoufflement, nausées, diarrhée ou mictions fréquentes.

LES RELATIONS INTERPERSONNELLES

L'inquiétude n'affecte pas que votre seule personne ; elle perturbe aussi vos relations avec les autres. Une enquête effectuée par l'Anxiety Disorders Association of America (ADAA) a mis en évidence ce problème (ADAA, 2004). Dans leur étude, les chercheurs ont constaté que les personnes qui s'inquiètent excessivement sont plus susceptibles d'éviter les situations sociales et les situations intimes avec leur partenaire. L'enquête a aussi révélé que l'inquiétude excessive conduit à une augmentation de l'absentéisme au travail et à une fréquence accrue des disputes. Si l'inquiétude semble avoir des répercussions négatives sur tous les types de rapports, l'enquête de l'ADAA a révélé que les plus grandes perturbations causées par l'inquiétude affectent les relations amoureuses et les relations d'amitié. Voici un résumé des répercussions que peut avoir l'inquiétude sur votre manière de penser, de vous comporter, de vous sentir et de communiquer avec les autres.

Aspect cognitif : pensées négatives, catastrophistes, dirigées vers l'avenir

Aspect comportemental : évitement, comportements compulsifs

Aspect physiologique : tension musculaire, insomnie, fatigue, agitation, difficultés de concentration

Relations interpersonnelles : évitement de l'intimité, discussion, irritabilité, repli sur soi

Reconnaissez vos propres inquiétudes

Maintenant que vous pouvez définir clairement l'inquiétude, que vous connaissez la différence entre inquiétude productive et inquiétude improductive et que vous comprenez comment l'inquiétude se répercute sur les grandes facettes de votre vie, il est temps que vous appreniez à reconnaître *vos propres* inquiétudes. Bien sûr, il peut vous sembler que l'inquiétude vous est déjà intimement familière car, si elle est excessive et non maîtrisée, vous êtes inquiet la plupart du temps. Cependant, nous constatons souvent que nos patients sont dépassés et déroutés par l'inquiétude et qu'ils gagnent beaucoup à suivre un cours intensif sur l'inquiétude. Après tout, plus vous en savez sur votre ennemi, plus vous avez de chances de gagner la bataille.

Suivre de près votre inquiétude est une façon de vous familiariser avec celle-ci – et de la maîtriser. En faisant le simple suivi de vos inquiétudes, vous transformerez un problème accablant en une situation compréhensible et maîtrisable. Ci-dessous, nous vous montrons comment faire le suivi de vos inquiétudes afin que vous sachiez exactement ce qui vous préoccupe et à quel moment vous vous inquiétez à ce sujet. Vous aurez une maîtrise accrue de votre inquiétude par la suite.

L'AUTOSURVEILLANCE

Faire une autosurveillance, c'est assurer le suivi de ses inquiétudes en tenant un registre quotidien. L'autosurveillance est une technique efficace qui a une longue histoire dans le domaine de la thérapie cognitivo-comportementale. Elle a été appliquée avec succès pour traiter de problèmes aussi divers que les troubles de l'alimentation (Allen et Craighead, 1999) et la manie dépilatoire compulsive. (Rapp *et al.*, 1998) Elle constitue également une étape utile pour dominer l'inquiétude.

Il est fascinant de voir comment l'autosurveillance modifie le comportement. Étonnamment, si vous faites trop d'une chose, comme vous ronger les ongles, le seul fait de surveiller votre comportement excessif vous permet d'atténuer ce comportement. Dans le même sens, si vous faites trop peu d'une chose, comme de l'exercice, faire le suivi de votre activité physique peut se traduire par des visites fréquentes au gymnase. Lorsque l'autosurveillance est appliquée à l'inquiétude chronique, on constate souvent une diminution de l'inquiétude.

Nous avons constaté de première main les effets spectaculaires de l'autosurveillance. Un de nos patients, un expert-comptable, appelé Nick, souffrait d'inquiétude chronique incontrôlée depuis plusieurs années. La plupart du temps, surtout au travail, Nick se sentait inquiet et tendu. Lors de la première session, on lui a demandé de faire le suivi de ses inquiétudes pendant les deux semaines à venir. Il est arrivé à la session suivante, le sourire aux lèvres. Il a déclaré qu'il se sentait déjà beaucoup mieux et s'en réjouissait: «Je pense que vous avez chassé mes inquiétudes en me demandant de les noter!» En faisant le suivi de ses inquiétudes, Nick a développé un sentiment accru de maîtrise de lui-même et a vu baisser de manière considérable la quantité du temps passé à s'inquiéter.

Exercice: surveillez vos inquiétudes

Vous pouvez commencer à faire le suivi de vos propres inquiétudes en les enregistrant dans votre cahier de notes. Pour ce faire, divisez une page en trois colonnes. Dans la première colonne, notez ce qui vous inquiète. Dans la seconde colonne, consignez les moments où vous vous inquiétez, y compris la date et l'heure. Dans la troisième colonne, indiquez votre degré d'anxiété sur une échelle de 1 à 10; 10 étant le degré le plus élevé.

Conseil pour une autosurveillance efficace

Comme bien des stratégies contenues dans ce livre, l'autosurveillance est simple dans son principe, mais plus ardue à mettre en œuvre. Voici quelques conseils pour accroître l'efficacité de vos efforts:

- Gardez votre ordinateur portable à portée de la main afin d'y noter vos inquiétudes au fur et à mesure qu'elles surviennent.
- Résistez à l'envie de prendre des notes ultérieurement. L'autosurveillance est plus efficace si elle est effectuée immédiatement, dès que toute l'inquiétude se manifeste.
- Soyez aussi précis que possible lorsque vous décrivez vos inquiétudes. Évitez les descriptions vagues, telles que «je suis inquiet à propos de tout» ou «je me sens tendu».
- Notez toutes vos inquiétudes. L'autosurveillance complète et précise est indispensable à la maîtrise de l'inquiétude pour deux raisons: tout d'abord, vous ne pouvez pas modifier une inquiétude, sauf si vous êtes conscient de sa présence chaque fois qu'elle se manifeste; ensuite, s'il vous manque de l'information, il vous sera plus difficile de dégager des thèmes et des régularités dans votre inquiétude.

Des thèmes communs d'inquiétude

En surface, il existe apparemment un stock inépuisable de circonstances ou d'éléments susceptibles de vous inquiéter. Toutefois, au fur et à mesure que vous surveillerez vos propres inquiétudes, vous découvrirez une dimension intéressante que les chercheurs étudiant l'inquiétude ont également trouvée. Il appert que l'inquiétude n'est pas l'abîme qu'elle semble être. Au contraire, un nombre étonnamment limité de thèmes communs émergent. À titre d'exemple, une étude réalisée par Michelle Craske et ses collègues (1989) a révélé que les personnes ont tendance à s'inquiéter surtout à propos des catégories suivantes :

- La famille
- La santé
- La situation financière
- Les relations interpersonnelles
- Le travail ou les études

Ces thèmes vous semblent-ils familiers ? En faisant le suivi de vos propres inquiétudes, vous découvrirez peut-être que vous vous inquiétez pour les mêmes raisons. Certes, ces catégories sont assez larges. À l'égard de la situation financière, vous pourriez vous préoccuper de vos factures, du marché boursier, de la valeur de votre maison ou de votre départ à la retraite. Ces catégories vous simplifient la tâche, car elles vous permettent de relativiser l'importance de vos inquiétudes et vous les rendent plus faciles à maîtriser. Recenser les thèmes qui vous préoccupent le plus est une étape clé dans la maîtrise de l'inquiétude.

Exercice : qu'est-ce qui vous inquiète ?

C'est à votre tour, maintenant, de recenser les thèmes de votre inquiétude. Nous avons répertorié ci-dessous des thèmes communs.

Revoyez votre dossier d'autosurveillance et vérifiez les thèmes qui vous ont inquiété au cours de la dernière semaine :

- ❑ La situation financière
- ❑ La santé (la vôtre)
- ❑ La santé (celle des autres)
- ❑ Le travail ou les études
- ❑ Les relations interpersonnelles
- ❑ La famille
- ❑ La criminalité
- ❑ La sécurité
- ❑ Autre

Trouvez la base de vos inquiétudes

Jusqu'ici, vous avez utilisé l'autosurveillance pour apprendre ce pour quoi vous vous inquiétez, à quel moment vous le faites et quelles préoccupations vous rendent le plus anxieux. Vous pouvez également utiliser l'autosurveillance pour découvrir une pièce d'information utile : ce qui vous inquiète le plus. En surveillant vos inquiétudes, vous verrez que certaines d'entre elles surgissent encore et encore. En les recensant et en les surmontant, vous pouvez venir à bout d'une grande partie de votre anxiété.

Exercice : quelles sont vos principales inquiétudes ?

Une fois que vous avez fait le suivi de vos inquiétudes pendant au moins une semaine, comptez le nombre de fois où vous vous êtes inquiété au sujet de chaque thème. De quoi vous inquiétez-vous le plus souvent? De votre santé? De votre situation financière? De vos relations interpersonnelles? Ou peut-être de votre travail ou de votre famille? Une fois que vous avez reconnu vos principaux soucis, faites-en la liste dans votre carnet de notes.

Une étudiante diplômée nommée Béatrice a passé une semaine à faire le suivi de ses inquiétudes à l'aide de cette technique. Chaque jour, elle enregistrait ce qui l'inquiétait, le moment où elle s'inquiétait et le degré d'anxiété qu'elle ressentait face à cette inquiétude. Grâce à l'autosurveillance, elle a appris qu'elle s'inquiétait presque exclusivement à propos de trois choses : ses finances, sa santé et sa relation avec sa mère. Parmi ces dernières, sa situation financière suscitait le plus d'angoisse.

Béatrice a également constaté qu'elle s'inquiétait surtout durant les périodes tranquilles, comme les soirs et les fins de semaine. En d'autres circonstances, lorsqu'elle était occupée ou distraite, elle était moins préoccupée et maîtrisait mieux son inquiétude. À l'aide de l'autosurveillance, Béatrice a acquis une certaine maîtrise de ses inquiétudes, car elle a appris ainsi ce qui la préoccupait, à quel moment elle s'inquiétait et ce qui lui causait le plus d'anxiété. Ces informations ont été très utiles dans le traitement, car elles ont aidé Béatrice à apporter des changements réels dans son comportement et à gérer efficacement ses inquiétudes. Rassembler les données de la sorte est essentiel lorsque vous travaillez à gérer votre inquiétude.

Points importants

- ❖ L'inquiétude consiste en une pensée catastrophiste, orientée vers le futur et constituée de mots plutôt que d'images.

- ❖ L'inquiétude peut être productive ou improductive.

- ❖ L'inquiétude productive conduit à l'action directe pour résoudre un problème ou réduire une menace future. L'inquiétude improductive vous paralyse et inhibe votre capacité de résoudre des problèmes.

- ❖ L'inquiétude affecte votre manière de penser, de vous comporter, de vous sentir et d'agir avec autrui.

- ❖ L'autosurveillance, technique par laquelle vous prenez note de manière exacte et quotidienne de vos préoccupations, est efficace pour vous aider à maîtriser votre inquiétude.

- ❖ Pour fairc lc suivi dc votrc inquiétude, prenez note de ce qui vous inquiète, du moment où vous êtes inquiet et de l'intensité de votre anxiété.

- ❖ Les gens ont tendance à s'inquiéter à propos de quelques thèmes précis. Ces thèmes incluent la situation financière, la santé, la famille, les relations interpersonnelles et la sécurité. Utilisez vos notes d'autosurveillance pour déterminer les choses qui vous causent le plus fréquemment de l'inquiétude. Ces craintes sont vos principales préoccupations.

Chapitre

Prendre un engagement

Nous commencerons ce chapitre en vous posant une question : êtes-vous vraiment déterminé à apprendre à maîtriser votre inquiétude ? Avant de répondre, il est important de comprendre ce qu'il vous faut pour venir à bout de votre inquiétude excessive. Dans ce chapitre, nous allons vous donner les informations dont vous avez besoin pour décider si vous êtes résolu à vous en débarrasser. Dans les pages suivantes, nous décrirons le processus de changement et vous aiderons à reconnaître les coûts et les avantages de l'inquiétude excessive. En outre, étant donné que cesser de s'inquiéter a ses bons et ses mauvais côtés, nous étudierons les avantages et les inconvénients d'apprendre à maîtriser l'inquiétude. Et au terme de ce chapitre, nous vous demanderons si vous êtes fin prêt à prendre l'engagement de réduire votre inquiétude.

À certains égards, l'étape la plus importante pour vous sera la prise d'un tel engagement. En effet, pour réussir, il est essentiel que vous ayez la volonté de changer et que vous vous en teniez à cet engagement. Les méthodes exposées dans ce livre fonctionnent ; mais vous devez fournir un effort constant pour qu'elles soient efficaces. Voilà pourquoi votre engagement est si important.

Comment fonctionnent les changements ?

Puisque vous envisagez d'apporter des changements positifs dans votre vie, en réduisant vos inquiétudes, il est important que vous compreniez plusieurs choses au sujet du processus d'apprentissage vous permettant de dominer vos inquiétudes. Tout d'abord, gardez présent à l'esprit que maîtriser l'inquiétude est une compétence et que le processus d'apprentissage pour l'acquérir est semblable à celui que vous avez utilisé pour acquérir toutes vos autres compétences. Comme apprendre à conduire une voiture par exemple.

Dans un premier temps, cela vous paraissait étrange et difficile. Vous deviez tout à coup maîtriser une dimension nouvelle. Il vous semblait impossible de vous souvenir de tout. Pour la première fois, vous deviez appuyer sur l'accélérateur, actionner le clignotant, regarder dans le rétroviseur, opérer des changements de vitesse... bref conduire et ne pas faire d'accident, et tout cela en même temps ! Comme tout nouveau conducteur, vous avez bien sûr fait des erreurs. Peut-être avez-vous accidentellement brûlé quelques stops ou calé à un feu rouge. Qui peut oublier sa première contravention ? Mais après les nombreuses heures passées derrière le volant, la conduite automobile est probablement devenue une seconde nature pour vous. Maîtriser votre inquiétude est donc un peu comme apprendre à conduire. Dans un premier temps, les techniques vous semblent inhabituelles et malaisées. Vous pouvez même vous sentir un peu submergé. Toutefois, grâce à un entraînement cohérent, gérer votre inquiétude deviendra bientôt pour vous une seconde nature, tout comme l'est devenue la conduite automobile.

Il est également essentiel que vous sachiez que l'apprentissage de la maîtrise de l'inquiétude, comme tout autre apprentissage, requiert du temps et des efforts. Si vous vous réservez du temps sur une base régulière pour vous entraîner à gérer votre inquiétude, vous tirerez le meilleur parti de la méthode présentée dans ce livre. Nous constatons quotidiennement les avantages que procure l'effort constant ; parmi nos patients, ceux qui travaillent avec persistance à dominer leur inquiétude obtiennent invariablement les meilleurs résultats.

À mesure que vous progresserez dans les solutions décrites dans ce livre, vous allez découvrir que le chemin vers la croissance personnelle est rempli de monts et de vallons. Si vous travaillez fort, vous ferez inévitablement des progrès. Toutefois, à certains moments, malgré tous vos efforts, il vous sera difficile de faire échec à votre inquiétude. C'est naturel. Vous êtes en train d'apprendre une nouvelle compétence et vous ferez l'expérience à la fois de succès et de revers au cours de ce processus.

Hélène, une de nos patientes, illustre bien les hauts et les bas que l'on rencontre lorsqu'on apprend à gérer son inquiétude. Grâce à la persévérance et à un travail acharné, elle a fait d'énormes progrès dans la maîtrise de son inquiétude. En fait, elle a si bien fait qu'elle se demandait même, à la fin du traitement, pourquoi elle s'était toujours tellement inquiétée. Au fur et à mesure que les sombres nuages de l'inquiétude disparaissaient de sa vie, ils étaient remplacés par des journées ensoleillées d'où le stress était absent.

Toutefois, l'inquiétude est réapparue un jour à l'horizon. Mais au lieu de considérer ces défis prévisibles comme un recul – et se sentir de la sorte découragée et vaincue –, Hélène a choisi de les considérer comme des occasions en or pour affiner ses compétences. En mettant à profit ses nouvelles compétences dans ces situations difficiles, elle a réussi alors à dominer son inquiétude avec une efficacité accrue. C'est ainsi que ses épisodes d'inquiétude se sont de plus en plus atténués et espacés dans sa vie.

DES BUTS RÉALISTES

Si l'on veut réussir à opérer des changements dans sa vie, se fixer des buts réalistes et atteignables est un autre point essentiel à respecter. Beaucoup de nos patients viennent suivre le traitement avec l'objectif d'éliminer l'inquiétude de leur vie. Peut-être avez-vous le même objectif en lisant ce livre ? Comme beaucoup de nos patients, sans doute définissez-vous l'absence permanente d'inquiétude comme la résultante d'un traitement réussi. Si vous avez subi les effets néfastes de l'inquiétude excessive, il est d'ailleurs facile de comprendre pourquoi vous vous sentez ainsi.

Malheureusement, l'objectif d'éliminer complètement l'inquiétude est stérile et vous expose à l'échec... parce qu'il est irréalisable ! Le fait est que certaines inquiétudes sont une réalité de la vie. C'est lorsqu'elle est persistante, non maîtrisée et improductive que cela devient un problème. C'est pourquoi nous insistons pour que vous vous fixiez pour objectif de maîtriser l'inquiétude improductive, et non pas d'éliminer toutes les inquiétudes.

Exercice : fixez-vous des objectifs

Qu'espérez-vous accomplir en lisant ce livre et en faisant les exercices ? Peut-être souhaitez-vous apprendre à maîtriser votre inquiétude face à quelque chose de précis, comme vos enfants ou votre emploi. Ou peut-être voulez-vous apprendre des stratégies pour mieux la dominer en général. Vous pouvez aussi espérer maîtriser des compétences précises pour gérer l'inquiétude, comme des techniques de relaxation ou de communication affirmée. Réfléchissez bien aux objectifs que vous voulez atteindre et inscrivez-les dans votre cahier.

DES ATTENTES RÉALISTES

Tout en vous fixant des objectifs clairs et raisonnables et en apprenant à comprendre le processus de changement, il est important que vous preniez en compte vos attentes par rapport à ce dernier.

Demandez-vous comment vous vous attendez à acquérir la maîtrise de votre inquiétude. Vous pourriez planifier de lire ce livre simplement pour vous sentir mieux. Malheureusement, cela ne fonctionnera probablement pas. Tout comme lire un livre d'exercices ne vous remettra pas en meilleure forme, vous limiter à lire sans faire les exercices ne vous apportera probablement pas beaucoup de soulagement.

Peut-être aussi, à l'instar de certains de nos patients, pensez-vous qu'il suffit d'essayer de temps en temps quelques-uns des exercices présentés dans ce livre pour parvenir à vos fins. Cette approche échouera fort probablement, parce que l'inquiétude excessive est un problème chronique. Vous vivez sans doute cette situation depuis un certain temps. En conséquence, il vous faudra du temps et un travail acharné pour parvenir à dominer votre inquiétude. Le changement ne se produira pas du jour au lendemain. Maîtriser les compétences nécessaires pour gérer votre inquiétude requiert de l'entraînement et un effort constant.

À certains moments, il peut être frustrant de combattre une inquiétude particulièrement insidieuse. Parfois, cependant, cela peut être exaltant. Certains des moments les plus heureux pour nos patients – et pour nous aussi – se produisent lorsqu'ils réussissent à vaincre une inquiétude... lorsqu'ils nous disent, avec un large sourire : « Par le passé, je me serais vraiment inquiété à ce sujet, mais plus maintenant ! »

Les coûts et les avantages de l'inquiétude

Énumérer les coûts et les avantages de l'inquiétude est une bonne façon de commencer à cheminer vers la paix et le bonheur. En faisant cet exercice en premier, vous pouvez prendre une décision éclairée à l'égard du besoin que vous ressentez de maîtriser votre inquiétude.

Commençons par examiner les coûts de l'inquiétude. Les coûts communs de l'inquiétude excessive incluent des problèmes d'ordre physique, de l'irritabilité, des difficultés relationnelles, une incapacité à se détendre et à profiter de la vie, une augmentation de la consommation d'alcool ou de drogue et un manque de productivité. Vous pourriez subir une partie ou la totalité de ces conséquences et également encourir des coûts. Repensez aux derniers mois. Combien vous en a-t-il coûté de trop vous être préoccupé ?

Maintenant, évaluons les avantages. Croyez-le ou non, l'inquiétude comporte aussi des avantages. En général, les gens ne continuent pas à faire quelque chose à moins que cela ne leur soit profitable de quelque façon. Il est donc important que vous soyez pleinement conscient des avantages de votre inquiétude avant de vous engager à en changer. Voici quelques-uns des avantages induits par l'inquiétude :

Distraction : l'inquiétude peut détourner votre attention d'autres choses qui vous dérangent, comme un mariage malheureux ou un travail que vous détestez.

Réduction de l'anxiété : ironiquement, l'inquiétude peut réduire légèrement votre anxiété en bloquant les images et les pensées douloureuses. Même si vous êtes toujours anxieux lorsque vous vous inquiétez, vous ne sentez pas l'intense panique qui pourrait s'emparer de vous si vous viviez pleinement les scénarios angoissants qui se cachent dans votre imagination.

Superstition: nombreux sont ceux qui croient que l'inquiétude les protège et empêche de mauvaises choses de se produire. Si vous maintenez cette conviction, vous pourriez craindre que si vous arrêtez de vous inquiéter, une catastrophe se produira. Par exemple, Luc, un aviateur intrépide, estimait que s'il ne s'inquiétait pas que son avion ne s'écrase, cela provoquerait forcément un écrasement. Il avait l'impression que son inquiétude gardait son avion dans les airs.

Attention et réconfort: votre état d'inquiétude et d'anxiété suscite des paroles de réconfort de la part des autres. Ainsi ils vous consolent et essayent de vous remonter le moral lorsque vous êtes bouleversé.

Évitement d'événements désagréables: votre inquiétude vous permet d'éviter de faire des choses que vous ne voulez pas faire. Au lieu de vous exprimer directement et de manière résolue, vous utilisez votre inquiétude en guise d'excuse pour éviter ce que vous trouvez désagréable.

Domination des autres: vous pouvez utiliser votre inquiétude pour dominer le comportement d'autres personnes. En voici un exemple: si le fait d'être loin de votre fille vous chagrine, vous pourriez lui dire, dans l'espoir qu'elle annule son voyage, combien vous seriez malade d'inquiétude si elle partait.

Préparation: vous pouvez croire qu'en vous inquiétant maintenant à propos de certains événements redoutés, vous serez prêt lorsque ceux-ci se produiront et n'en serez donc pas bouleversé. Prenons le cas de Julie qui s'inquiétait souvent que son mari ne la quitte. Même s'ils avaient une bonne relation, elle estimait qu'en s'inquiétant maintenant d'un divorce éventuel, elle serait moins dévastée si son mari décidait vraiment un jour de partir.

Résolution de problème : vous pourriez croire que votre inquiétude vous aide effectivement à résoudre les problèmes de façon plus efficace. Sans l'inquiétude, tout se passe alors comme si vous n'étiez pas en mesure de traverser les difficultés de votre vie.

La mauvaise nouvelle, c'est que si vous commencez à moins vous inquiéter, vous perdrez ces avantages perçus. La bonne nouvelle, c'est que ces changements ne sont pas irréversibles. En d'autres termes, si vous le désirez, vous pouvez toujours revenir à l'inquiétude et profiter de ses avantages. Cependant, nous sommes convaincus qu'une fois que vous aurez expérimenté pleinement la maîtrise de votre inquiétude, vous ne voudrez plus jamais y revenir.

Exercice : effectuez une analyse coûts-avantages

Dans votre cahier de notes, tracez une ligne au milieu d'une page. Dressez la liste des coûts de votre inquiétude d'un côté et des avantages de l'autre côté. Énumérez autant d'éléments que vous le pouvez. Maintenant, regardez chacune des colonnes et comparez-les. Quelle colonne l'emporte sur l'autre ? Les coûts dépassent-ils les bénéfices, et vice versa ? Cela vous aidera surtout à décider si l'inquiétude œuvre plutôt à votre avantage ou à votre désavantage.

Apprendre à dominer son inquiétude : le pour et le contre

En fonction de votre analyse coûts-avantages, supposons que vous ayez décidé que l'inquiétude comporte plus d'inconvénients que d'avantages et que vous vouliez apprendre à la maîtriser. Comment cela vous sera-t-il profitable d'apprendre à le faire ? D'une certaine manière, les nombreux bénéfices seront simplement tout le contraire des coûts, tel que le sentiment d'être plus détendu ou moins irritable auprès de votre famille et de vos amis. En outre, maîtriser votre inquiétude peut vous procurer de nombreux autres avantages. Ceux-ci pourraient inclure une confiance en soi élargie, une productivité accrue, une susceptibilité moindre aux maladies, un sentiment accru de paix et de spiritualité, de joie et de bonheur.

Bien sûr, changer comporte aussi des inconvénients. Consacrer du temps et des efforts à lire ce livre et à faire les exercices qui y sont proposés constitue un inconvénient. Certains de ces exercices, tels que les techniques de relaxation décrites au chapitre 3, « Apprendre à relaxer », ou les stratégies cognitives énumérées au chapitre 4, « Changer sa façon de penser », supposent un engagement quotidien d'au moins vingt à trente minutes pour un avantage optimal.

Certains exercices, particulièrement ceux du chapitre 9, « Affronter ses inquiétudes », et du chapitre 5, « Réagir différemment », peuvent vous rendre temporairement plus anxieux et constituer ainsi un inconvénient additionnel. Bien sûr, ces stratégies visent ultimement à réduire votre inquiétude, mais étant donné qu'elles vous amènent à affronter quelque chose que vous craignez, vous pourriez initialement vous sentir plus affligé que d'habitude en travaillant sur ces solutions.

Exercice : examinez le pour et le contre

Tracez maintenant une ligne au milieu d'une nouvelle page de votre cahier et énumérez-y les avantages et les inconvénients d'apprendre à maîtriser votre inquiétude. Examinez tous les avantages et les désavantages possibles. Étudiez ensuite en détail chaque colonne. Est-il plutôt à votre avantage ou à votre désavantage d'apprendre à maîtriser votre inquiétude ?

Engagez-vous à changer

Au début de ce chapitre, nous vous avons demandé si vous étiez déterminé à apprendre à maîtriser votre inquiétude. Maintenant que vous comprenez mieux comment le changement s'opère et que vous pouvez donc établir des attentes plus réalistes à l'égard de ce qu'il vous faut pour maîtriser votre inquiétude, qu'en pensez-vous ? En analysant le pour et le contre, avez-vous décidé qu'il est dans votre intérêt d'apprendre à gérer l'inquiétude ? Si oui, il est temps de finaliser votre engagement. Voici un contrat qui stipule votre intention de travailler à maîtriser votre inquiétude.

Exercice : signez un contrat

Dans votre cahier, copiez ce contrat, signez-le et inscrivez-y la date : « Je m'engage à travailler à maîtriser mon inquiétude. Je comprends qu'il me faudra y mettre du temps et des efforts. Pour ce faire, je vais régulièrement me réserver du temps pour travailler sur les exercices proposés dans ce livre. Ayant établi que les coûts de mon inquiétude l'emportent sur les avantages, je suis résolu à dominer et à réduire mon inquiétude. » Chaque fois que vous sentirez votre motivation fléchir, relisez ce contrat ainsi que vos listes des coûts de l'inquiétude et des avantages à apprendre à la maîtriser. Annoncer votre engagement à quelqu'un en mesure de vous soutenir pourrait aussi vous aider.

Points importants

- La persévérance est la clé de la maîtrise de l'inquiétude. Le changement ne se produit pas du jour au lendemain ; il est plutôt le résultat d'efforts constants.

- L'inquiétude chronique et incontrôlée affecte les gens de bien des manières. Prenez connaissance des coûts de l'inquiétude et des avantages personnels que vous escomptez. Avant de vous engager dans un changement, assurez-vous d'avoir soigneusement examiné les coûts et les avantages de votre inquiétude.

- Énumérer les avantages et les inconvénients de la maîtrise de votre inquiétude peut vous aider à déterminer s'il est réellement dans votre intérêt d'opérer un tel changement.

- Une fois que vous avez décidé de changer, investissez le temps et les efforts nécessaires pour réussir. Prenez cet engagement en signant un contrat indiquant votre intention de travailler fort pour vaincre votre inquiétude.

Chapitre

Apprendre à relaxer

Bon nombre de personnes inquiètes savent par expérience que l'inquiétude chronique incontrôlée peut avoir des conséquences physiques fâcheuses. Si rien n'est fait, l'inquiétude peut provoquer des symptômes tels que fatigue, maux de tête, tension musculaire, tremblements, irritabilité, sudation, bouffées de chaleur, sensations ébrieuses, essoufflement, insomnies, nausées, diarrhée et mictions fréquentes.

Apparemment sans lien, ces symptômes résultent d'un système nerveux soumis à un état d'éveil constant. Dans ce chapitre, nous décrirons le fonctionnement du système nerveux et nous vous proposerons quatre techniques de relaxation pour contrer l'état d'éveil chronique du système nerveux. Lorsqu'elles sont pratiquées régulièrement, ces techniques peuvent changer votre état d'esprit... de tendu et nerveux, vous pourriez devenir calme et apaisé.

Vos deux systèmes nerveux

Avant de vous lancer dans un programme régulier de relaxation, il est important que vous compreniez comment fonctionne votre système nerveux – ou, plus exactement, comment fonctionnent vos systèmes nerveux. Car vous avez en fait deux systèmes nerveux. Un peu comme une voiture, votre organisme dispose à la fois d'un accélérateur et d'un frein. L'accélérateur, connu sous le nom de système nerveux sympathique, s'emballe dans les moments d'inquiétude. Lorsque cela se produit, votre organisme rebondit. Les battements de votre cœur s'accélèrent, ainsi que votre respiration, votre tension artérielle augmente, votre bouche s'assèche et le sang s'éloigne de votre appareil digestif pour irriguer vos muscles. C'est une réaction active de lutte ou de fuite. L'évolution nous a dotés de cette réaction pour nous aider à survivre à des situations dangereuses. Sans elle, il est peu probable que l'homme aurait survécu très longtemps.

À l'inverse, le frein du système nerveux, connu sous le nom de système nerveux parasympathique, ralentit l'organisme. Lorsque le système nerveux parasympathique est activé, votre rythme cardiaque et votre respiration ralentissent, votre tension artérielle diminue, vos muscles se relâchent et la digestion se fait alors. La prochaine fois que votre corps sera parfaitement détendu ou que vous sentirez le sommeil vous gagner au moment de vous endormir, vous remarquerez que le système parasympathique est au travail. Contrastant avec la réaction de lutte ou de fuite, ce phénomène est appelé par certains la réaction « repos et digestion ».

Si vous souffrez d'inquiétude chronique, vous avez la plupart du temps la pédale à fond. Le frein – le système parasympathique – ne vous est donc pas d'une grande utilité. Avec le temps, vous êtes devenu très habile à appuyer sur l'accélérateur. Néanmoins, chemin faisant, votre capacité à ralentir s'est rouillée. Les techniques décrites dans ce chapitre contribueront à rétablir cette capacité afin que vous puissiez à nouveau vous détendre et relaxer.

Relaxation

Afin d'apprendre à vous détendre, vous aurez besoin des techniques particulières de relaxation. Dans ce chapitre, vous découvrirez quatre méthodes différentes pour atteindre un état de profonde relaxation :

1. La relaxation musculaire progressive (RMP)

2. La respiration diaphragmatique

3. Le rêve éveillé dirigé

4. La méditation

LA RELAXATION : UNE COMPÉTENCE

Avant d'essayer l'une ou l'autre de ces approches, il est important que vous compreniez que pour atteindre un état de profonde relaxation, il faut de l'entraînement. Concevoir la relaxation comme une compétence peut paraître inhabituel. Après tout, se détendre n'est pas généralement perçu comme un exercice, c'est simplement une chose que l'on fait. Cependant, si vous vous inquiétez souvent, vous aurez probablement du mal à vous détendre. En fait, lorsque vous essayez de vous détendre, vous pouvez devenir frustré parce que vous vous sentez toujours surexcité et énervé. Les activités qui auparavant vous relaxaient, telles que le jardinage ou la lecture, ne vous procurent plus, comme autrefois, ce sentiment de paix et de calme. Au contraire, vous vous sentez presque toujours inquiet et anxieux. Même la nuit, il vous est difficile de vous endormir parce qu'il vous faut de plus en plus de temps pour vous détendre et vous abandonner à un sommeil paisible.

Ces changements se produisent parce que la capacité de se détendre est une compétence ; et l'inquiétude chronique érode cette compétence. Toutefois, avec la pratique régulière des techniques décrites ci-dessous, vous réapprendrez à vous détendre avec facilité.

LES AVANTAGES DE LA PRATIQUE RÉGULIÈRE DE LA RELAXATION

La pratique constante de la relaxation comporte plusieurs avantages confirmés (Benson, 1975), tels que ceux énumérés ci-dessous :

Sur le plan physique : réduction de la fréquence cardiaque, baisse du rythme respiratoire, baisse de la pression artérielle, réduction de la tension musculaire, réduction de la consommation d'oxygène, augmentation de l'énergie

Sur le plan cognitif : concentration accrue, plus ciblée, mémoire améliorée

Sur le plan affectif : réduction de l'anxiété générale, réduction de l'irritabilité, état d'esprit plus positif, sentiment accru de bien-être

Sur le plan comportemental : réduction de la consommation de drogues, amélioration des habitudes de sommeil, productivité accrue

Pour la santé : réduction des maux de tête de tension, réduction de la douleur, réduction des symptômes de trouble gastro-intestinal

CHOISIR UNE TECHNIQUE DE RELAXATION

Si vous ressentez un symptôme particulièrement inquiétant à cause de votre inquiétude chronique, vous pouvez choisir la technique de relaxation qui traite précisément de la partie qui pose problème. Ainsi, pourriez-vous combattre le feu par le feu. Si vous souffrez d'une tension musculaire chronique qui provoque des maux de tête, des douleurs au cou de même qu'au bas du dos, vous pourriez ainsi commencer par pratiquer une technique de relaxation musculaire progressive, puisqu'elle cible précisément les muscles tendus.

Pour la même raison, si vous avez tendance à faire de l'hyperventilation et éprouvez des symptômes d'anxiété tels que des sensations ébrieuses, des douleurs à la poitrine ou de la fatigue, la respiration diaphragmatique pourrait vous être très profitable. Le tableau ci-dessous présente des suggestions pour vous aider à choisir une technique de relaxation. Cela est à considérer à titre indicatif. En réalité, lorsque vous combattez l'inquiétude, toute technique de relaxation pratiquée régulièrement vous sera bénéfique.

Techniques de relaxation	**Symptômes**
Relaxation musculaire progressive	Symptômes physiques : tension musculaire, maux de tête de tension, douleurs au cou, à la mâchoire, tension dans les épaules, fatigue, insomnie
Respiration diaphragmatique	Symptômes respiratoires : sensations ébrieuses, fatigue, douleur ou oppression à la poitrine, étourdissement
Méditation	Symptômes cognitifs : pensées qui se bousculent, « s'il arrivait que », rumination, difficultés de concentration
Rêve éveillé dirigé	Images mentales : scènes de catastrophe qui traversent l'esprit (échec à un examen, écrasement d'avion, présentation manquée…)

Techniques particulières

Voici une description des quatre techniques de relaxation que nous utilisons fréquemment dans nos pratiques. Pratiquée régulièrement, chacune constitue un moyen efficace d'atteindre un état de relaxation profonde.

LA RELAXATION MUSCULAIRE PROGRESSIVE

En 1929, Edmund Jacobson décrivit une méthode pour parvenir à un état de profonde sérénité dans son livre *La relaxation progressive*. Sa technique, qu'il a appelée la relaxation musculaire progressive (RMP), vous aidera à atteindre un état profond de détente physique en apaisant la tension musculaire chronique qui maintient votre système nerveux sympathique dans un état d'excitation. Cette technique a été mise au point par Jacobson précisément pour contrer l'anxiété. Il a élaboré la théorie suivant laquelle l'anxiété et la relaxation sont des états incompatibles. En d'autres termes, ils ne peuvent se produire en même temps. Ainsi, atteindre volontairement un état détendu viendrait à bout de toute forme d'anxiété.

Avant de pratiquer la RMP, prenez un moment pour scruter mentalement votre corps. Où êtes-vous tendu ? À la mâchoire ? Au cou ? Aux épaules ? Notez dans votre cahier les zones de tension que vous remarquez et accordez une attention particulière à ces zones lorsque vous faites de la relaxation musculaire progressive.

Instructions pour la relaxation musculaire progressive

La marche à suivre de la RMP est basée sur la technique de Jacobson. Chaque étape décrit une méthode pour tendre et détendre des muscles précis. Avant de commencer la RMP, assurez-vous que vous êtes dans une position confortable et à l'abri des distractions. Lorsque vous traversez les étapes décrites ci-dessous, maintenez chaque position de tension pendant dix secondes, puis détendez-vous autant que possible pendant vingt secondes avant de passer à l'étape de tension suivante. Au cours de chaque phase, prêtez attention à la sensation de tension et à la sensation de détente. Concentrez-vous sur la différence entre ces deux états.

1. Allongez-vous sur le dos dans une position confortable.

2. Fermez les poings et repliez vos mains vers vos coudes en fléchissant les poignets et en tendant les avant-bras. Amenez vos avant-bras vers vos bras en fléchissant les biceps. Relâchez vos mains, vos avant-bras et vos bras et laissez vos membres se détendre. Concentrez-vous sur la différence entre la sensation de tension et la sensation de détente.

3. Les genoux légèrement fléchis, soulevez les jambes d'environ quinze centimètres (six pouces). Fléchissez les orteils vers les genoux. Sentez la tension dans vos mollets et vos cuisses. Redescendez doucement les jambes et détendez les muscles de vos mollets et de vos cuisses. Remarquez la différence entre l'état de tension et l'état de détente.

4. Rentrez le ventre et contractez les muscles du ventre. Relâchez et détendez les muscles de votre ventre et concentrez-vous sur la différence entre la sensation de tension et la sensation de détente.

5. Respirez profondément et, lorsque vous inspirez, sentez la tension dans les muscles de votre poitrine et ceux de votre

cage thoracique. Lorsque vous expirez, sentez ces muscles se relâcher et se détendre. Remarquez la différence entre la sensation de tension et la sensation de détente. Répétez l'exercice deux fois.

6. Arquez votre dos. Sentez la tension dans les muscles le long de votre colonne vertébrale. Rabaissez doucement vos membres et détendez complètement votre dos. Sentez la différence entre la tension et la détente des muscles de votre dos. (Si vous avez le dos fragile, vous pouvez sauter cette étape.)

7. Tirez les omoplates vers l'arrière, en essayant de les amener à se toucher au milieu de votre dos. Relâchez-les et détendez-vous complètement en sentant la différence entre la tension et la détente.

8. Haussez les épaules vers vos oreilles et concentrez-vous sur la sensation de tension créée dans vos épaules et votre cou. Rabaissez complètement les épaules et concentrez-vous sur la sensation de détente dans votre cou et vos épaules.

9. Relevez les sourcils le plus haut possible en ridant le front. Remarquez la tension dans les muscles de votre front. Relâchez ces muscles et concentrez-vous sur la sensation de détente.

10. Rabaissez les sourcils en les fronçant. Sentez la tension dans les muscles juste au-dessus des yeux. Détendez ces muscles et concentrez-vous sur cette sensation.

11. Fermez bien les yeux et sentez la tension dans les muscles autour des yeux. Relâchez ces muscles et détendez-vous complètement.

12. Détendez-vous et de relâchez toute la tension de votre corps. Concentrez-vous sur votre respiration pendant quelques minutes ; prenez des respirations profondes et lentes.

Il faut de vingt à trente minutes pour faire l'exercice de RMP. Certaines personnes trouvent efficace d'enregistrer cette marche à suivre et d'écouter ensuite l'enregistrement, qui les guide tout au long de l'exercice de RMP. Si vous faites un enregistrement des étapes à suivre, faites-le dans le calme, d'une voix apaisante. Pour chaque étape, allouez dix secondes de tension et vingt secondes de détente.

Suivre cette routine une fois par jour créera un sentiment de calme et réduira votre tension et votre inquiétude. Cette routine permet aussi de réduire les symptômes physiques associés à l'inquiétude, tels que maux de tête et douleurs dans le cou. Ne vous inquiétez pas si vous ne vous sentez pas particulièrement détendu tout de suite. Comme pour toute compétence, il faut un certain temps pour maîtriser la RMP. Vous trouverez peut-être utile d'enregistrer vos exercices quotidiens dans votre cahier, en notant votre niveau global de détente, de 1 (très tendu) à 10 (très détendu), après chaque séance. De cette façon, vous pouvez suivre votre progression à mesure que vous acquérez cette habileté.

RESPIRATION DIAPHRAGMATIQUE

L'inquiétude chronique peut modifier votre façon naturelle de respirer, ce qui se traduit par de mauvaises habitudes respiratoires.

La tension causée par l'inquiétude déplace souvent le siège de la respiration, la faisant passer du diaphragme – son foyer naturel – à la poitrine. C'est ce qu'on appelle la *respiration thoracique*; celle-ci tend à être profonde et rapide.

L'anatomie humaine n'est pas conçue pour une respiration de poitrine. Pour voir comment notre anatomie est conçue à l'égard de la respiration, regardons un bébé endormi. Son ventre se dilate et se contracte doucement, de manière lente et rythmée, et sa cage thoracique bouge très peu, voire ne bouge pas du tout. Notez que la respiration se rend profondément dans le ventre, principalement dans l'abdomen. C'est ce qu'on appelle la *respiration diaphragmatique*.

Bien des gens ont perdu la capacité de pratiquer la respiration diaphragmatique au fil du temps. En fait, un de nos collègues affirme que seuls les chanteurs qui ont une formation lyrique pratiquent la respiration diaphragmatique en tant qu'adultes.

Testez votre propre style de respiration en plaçant une main sur votre poitrine et l'autre sur votre nombril. Prenez quelques respirations. Quelle main se déplace ? Plus la main posée sur la poitrine se déplace, plus votre respiration est de type thoracique.

Syndrome d'hyperventilation

La respiration thoracique entraîne souvent l'hyperventilation. Lorsque vous entendez le mot « hyperventilation », vous vous imaginez peut-être des scènes de films où un acteur halète de façon spectaculaire ou respire dans un sac en papier. Toutefois, l'hyperventilation n'est pas toujours aussi exagérée. En fait, elle peut être si subtile que vous pouvez ne pas même être au courant qu'elle est présente. L'hyperventilation, c'est simplement l'apport de plus d'oxygène que ce dont l'organisme a besoin.

Prenons le cas où vous êtes assis à votre bureau et travaillez à l'ordinateur ; la demande de votre organisme en oxygène est assez faible. Toutefois, si vous vous sentez tendu et inquiet, vous pouvez respirer un peu plus rapidement que nécessaire et, conséquemment, inhaler et exhaler de manière incomplète. Lorsque cela se produit, la quantité d'oxygène que vous inhalez est supérieure à la quantité de gaz carbonique que vous expirez. Ainsi, le taux de dioxyde de carbone contenu dans votre sang diminue par rapport au taux d'oxygène. Ce changement, qui résulte de l'hyperventilation, déclenche alors une série de symptômes physiques désagréables, notamment ceux-ci :

- Sécheresse de la bouche
- Fatigue
- Sensations ébrieuses
- Essoufflement
- Engourdissement et (ou) picotements
- Sensibilité ou douleurs thoraciques
- Martèlement, battements cardiaques
- Sentiment d'anxiété ou de tension
- Soupirs ou bâillements fréquents

Marche à suivre pour la respiration diaphragmatique

Pratiquée de manière rythmée et maîtrisée, la respiration diaphragmatique neutralise les effets désagréables de l'hyperventilation et de la respiration thoracique. Voici les étapes de la respiration diaphragmatique :

1. Allongez-vous dans une position confortable.

2. Scrutez votre corps pour y détecter les zones de tension et détendez vos muscles tendus.

3. Prêtez attention à votre respiration.

4. Placez une main sur votre poitrine et l'autre sur votre abdomen juste au-dessus du nombril.

5. Respirez par le nez.

6. Essayez de déplacer le siège de respiration de votre poitrine à votre abdomen. Votre poitrine doit rester immobile. Votre ventre doit se dilater et se contracter facilement, comme un ballon, avec chaque respiration.

7. Ralentissez votre respiration : comptez jusqu'à trois en inspirant et jusqu'à trois en expirant.

8. Continuez ainsi pendant environ dix minutes.

Si vous avez de la difficulté à vous servir de votre abdomen pour respirer, placez un livre sur votre ventre et entraînez-vous à le faire se déplacer vers le haut et vers le bas à chaque respiration. Au cours de l'exercice, résistez à l'envie de haleter, de bâiller ou d'inspirer plus qu'il n'est nécessaire. Au lieu de cela, ayez une respiration douce et fluide. Lorsque que vous aurez ralenti votre rythme respiratoire et que vous utiliserez votre diaphragme, votre respiration vous semblera facile et détendue.

Une fois que vous maîtrisez cette compétence, vous pouvez l'utiliser facilement et discrètement chaque fois que vous vous sentez anxieux. Il vous suffit de placer une main sur votre abdomen et de déplacer votre respiration vers la zone du diaphragme. Puis ralentissez votre respiration en comptant jusqu'à trois en inspirant, puis jusqu'à trois en expirant.

RÊVE ÉVEILLÉ DIRIGÉ

Lorsque vous vous sentez anxieux, votre esprit peut être inondé de pensées catastrophistes. Vous pouvez pressentir une catastrophe, telle que la perte d'un emploi ou un incendie faisant rage dans votre maison. L'adrénaline afflue dans vos veines, votre pouls s'accélère ainsi que votre respiration. De la sorte, vous vous sentez anxieux, inquiet et tendu.

Le rêve éveillé dirigé fait obstacle aux pensées et aux images bouleversantes, car il vous permet d'utiliser les yeux de l'esprit pour vous calmer, et non pour vous effrayer. Tout comme imaginer une catastrophe crée un état d'anxiété, se représenter une scène de paix et de détente instille un sentiment de calme et neutralise les effets néfastes de l'inquiétude chronique.

Marche à suivre pour pratiquer le rêve éveillé dirigé

Votre séance de rêve éveillé dirigé ne devant être ni précipitée ni interrompue, vous devriez la planifier à l'avance. Prévoyez environ trente minutes au cours desquelles vous vous concentrerez sur votre exercice. Choisissez un endroit tranquille où vous ne serez pas dérangé. Lorsque l'heure prévue arrivera, suivez les étapes ci-dessous :

1. Allongez-vous dans une position confortable.

2. Ralentissez votre respiration.

3. Scrutez votre corps pour y détecter les zones de tension et détendez vos muscles tendus.

4. Continuez à respirer calmement et lentement, en vous représentant la scène de rêve décrite ci-dessous.

5. Lorsque vous avez terminé, détendez-vous tranquillement pendant quelques minutes en gardant les yeux fermés.

Pour rendre votre exercice plus efficace, enregistrez le sénario ci-dessous d'une voix calme et lente, en allouant beaucoup de temps à votre imagination. Puis faites jouer la cassette pour diriger votre visualisation durant votre exercice de rêve éveillé.

SCÈNE DE RÊVE ÉVEILLÉ DIRIGÉ

Imaginez-vous en train de marcher le long d'une plage. Le soleil brille très haut dans un ciel bleu azur. Il fait chaud, le temps est agréable et vous sentez la brise saline vous rafraîchir la peau. La mer est d'un bleu profond. Les vagues déferlent doucement. Au gré de votre promenade, vous laissez vos soucis loin derrière vous, alors que le sable glisse entre vos orteils. Vous éprouvez la chaleur du soleil sur votre peau et cela vous apaise. Chemin faisant, vous débouchez sur un endroit agréable et tranquille et décidez de vous y étendre.

Vous vous allongez sur une couverture et écoutez les vagues lécher le rivage. Votre respiration commence à ralentir au rythme des vagues. Le soleil radieux ne cesse de vous réchauffer la peau. La chaleur de ses rayons se concentre sur vos pieds ; ils deviennent agréablement chauds et lourds. Votre respiration ralentit et devient plus profonde, la chaleur du soleil se propage dans vos jambes jusqu'à vos mollets, puis vos cuisses et vos hanches. Vos jambes sont maintenant agréablement chaudes, lourdes et détendues. Vous entendez le doux va-et-vient des vagues et vous vous sentez de plus en plus apaisé.

Votre respiration est maintenant profonde et lente et vous êtes calme et détendu. Le doux éclat du soleil se répand maintenant de vos jambes à votre abdomen. Les muscles de votre ventre se dénouent sous la tiédeur ; ils deviennent lisses, immobiles et détendus. Votre peau est chaude et votre poitrine se soulève au rythme des vagues.

La chaleur du soleil continue à se diffuser dans tout votre corps, irradiant votre ventre et remplissant votre poitrine. Vous sentez poindre dans votre poitrine un léger rayonnement, qui vous enrobe de détente et de paix. Vos jambes, votre poitrine et votre ventre sont chauds, lourds et détendus. Vous respirez maintenant avec facilité et ne ressentez que la chaleur qui vous envahit.

À présent le point de chaleur se fixe sur le bout de vos doigts et commence à les détendre. Cette sensation se déplace, pénètre vos mains, puis vos avant-bras et vos biceps. Vos bras s'alourdissent, vos muscles se détendent en profondeur, tandis que la chaleur du soleil les traverse. Votre respiration ralentit toujours un peu plus au fur et à mesure que vous vous abandonnez à la détente.

La chaleur relaxante du soleil se déplace vers vos épaules et votre cou. Vous sentez vos épaules et votre cou s'alléger et se relâcher légèrement alors que vous vous détendez sous le soleil radieux. Vous remarquez la chaleur et la lourdeur de vos muscles détendus, depuis les orteils jusqu'aux épaules, et vous êtes porté par un état de profonde relaxation sous le chaud soleil de l'été.

L'état de détente se propage dans tout le reste de votre corps et vous monte au visage. Vous sentez se desserrer les muscles de votre visage, qui devient doux, ouvert et calme. Le soleil réchauffe doucement votre visage, apaisant toute tension. Vous vous sentez absolument apaisé, plus apaisé que jamais. Vous êtes profondément détendu.

Respirez maintenant à votre aise et jouissez de cette sensation de relaxation profonde. Remarquez la chaleur et la lourdeur de votre corps, ainsi que le calme parfait qui vous habite en ce moment. Prélassez-vous au soleil, sentez les rayons dorés caresser votre peau et vous couvrir d'une chaleur apaisante qui vous fait vous sentir totalement calme. À présent, vous êtes complètement détendu.

Il existe de nombreux autres sénarios de rêve éveillé dirigé. Pour plus de renseignements sur le rêve éveillé dirigé et pour des scripts supplémentaires, consultez le livre *Guided Imagery for Self-Healing: An Essential Resource for Anyone Seeking Wellness,* de Martin L. Rossman (2001), ou le livre *30 Scripts for Relaxation, Imagery and Inner Healing,* de Julie T. Lusk (1993).

Vous pouvez aussi vous procurer une variété de sénarios de rêves éveillés dirigés sur cassettes ou CD dans la plupart des librairies.

LA MÉDITATION

La méditation remonte au tout début de l'histoire et peut-être même à la préhistoire, ce qui vous permet de constater que l'être humain cherche la paix intérieure et la relaxation depuis fort longtemps. Expérience spirituelle à l'origine, la méditation a évolué au fil des siècles pour devenir une technique de relaxation pratiquée partout dans le monde.

La méditation a pour objectif principal de calmer l'esprit et de mener à une conscience aiguë du temps présent. Cet état est en contradiction directe avec l'état mental d'inquiétude chronique, qui souvent rend l'esprit trop actif et rempli de craintes au sujet de l'avenir. En calmant votre esprit et en vous concentrant sur le moment présent, vous permettez à votre organisme de libérer des tensions inutiles et de se détendre. Cela se traduit par une sensation accrue de calme intérieur et un sentiment affaibli de nervosité et d'anxiété.

Instructions pour la pratique de la méditation

Il existe tout un choix de différentes techniques de méditation. Edmund J. Bourne, auteur de *The Anxiety and Phobia Workbook* (2005), propose ces lignes directrices simples et efficaces pour pratiquer la méditation :

1. Trouvez un endroit tranquille où vous ne serez pas dérangé.

2. Asseyez-vous dans une position confortable.

3. Choisissez un mot neutre sur lequel vous vous concentrerez, comme le mot « un » ou « arbre ». Ce mot sera votre mantra.

4. Concentrez-vous sur votre respiration.

5. Répétez votre mantra en silence chaque fois que vous inspirez.

6. Lorsque d'autres pensées vous viennent à l'esprit, il vous suffit de les laisser passer et de vous concentrer de nouveau sur votre mantra.

7. Continuez ainsi pendant environ dix à vingt minutes.

N'oubliez pas de conserver une attitude passive pendant la méditation. Laissez simplement la méditation arriver de manière naturelle. Comme pour toutes les techniques de relaxation, des séances régulières sont indispensables si vous voulez profiter pleinement des avantages de la méditation. Prévoyez une ou deux séances par jour.

Points importants

- ❖ Votre système nerveux est composé d'un accélérateur (le système sympathique) et d'un frein (le système parasympathique). Si vous vous inquiétez beaucoup, vous gardez le pied sur l'accélérateur, ce qui entraîne une variété de symptômes désagréables.

- ❖ Les techniques de relaxation, telles que la relaxation musculaire progressive, la respiration diaphragmatique, le rêve éveillé dirigé et la méditation, activent le frein de votre organisme, ralentissent votre système nerveux et contrent les effets du stress chronique.

- ❖ Rappelez-vous que la relaxation est une compétence. La pratique constante de la relaxation améliore votre capacité à vous calmer et à parer l'anxiété. Pour en maximaliser les avantages, consacrez vingt à trente minutes par jour à la pratique de ces techniques.

- ❖ Expérimentez différentes techniques pour découvrir ce qui fonctionne le mieux pour vous. Essayez aussi de faire correspondre une technique à un symptôme que vous éprouvez.

- ❖ Durant la séance de relaxation, conservez une attitude passive. Plus vous ferez des efforts pour vous détendre, moins vous serez détendu pendant le processus.

Chapitre 4

Changer sa façon de penser

Dans le chapitre précédent, vous avez appris des techniques précises pour contrer l'état d'alerte qui se produit lorsque vous vous sentez anxieux. Dans ce chapitre, nous étudierons le rôle que joue votre pensée lorsque vous vous sentez anxieux et stressé. Nous vous montrerons aussi le lien qui existe entre vos pensées et vos sentiments tout en décrivant le rôle que joue la distorsion dans votre façon de penser. Nous vous enseignerons enfin des stratégies précises pour confronter et modifier vos pensées.

Une brève histoire de la thérapie cognitive

Dans les années 1960, Aaron T. Beck, psychiatre, et Albert Ellis, psychologue, tout en travaillant séparément, créèrent un nouveau modèle de traitement pour soulager la détresse psychologique. Insatisfaits de l'école de pensée psychanalytique, selon laquelle les problèmes liés à l'inquiétude sont considérés comme le résultat de questions inconscientes, ils cherchèrent une nouvelle façon d'envisager et de traiter les maladies mentales.

En travaillant sur leurs nouvelles théories, ils ont fait deux découvertes révolutionnaires. Tout d'abord, ils ont découvert que la source de notre détresse n'est absolument pas inconsciente. Par des observations cliniques et des recherches rigoureuses, Beck et Ellis, ainsi que d'autres théoriciens cognitifs comme Donald Meichenbaum, ont découvert que ce sont nos propres *pensées* qui déterminent notre état d'esprit, et non pas des conflits internes qui opéreraient en dehors de notre conscience. Beck a appelé cette théorie, selon laquelle les pensées déterminent les émotions, le « modèle cognitif ».

En élaborant sa théorie, Beck fit une deuxième découverte capitale. Il découvrit que les personnes qui souffrent de détresse émotionnelle sont souvent préoccupées par des pensées dysfonctionnelles. En d'autres termes, des états négatifs, tels que l'anxiété ou la dépression, sont souvent le résultat d'une mauvaise représentation du monde. Par exemple, une personne anxieuse qui assiste à une fête dans un endroit bondé peut penser que tout le monde la juge et la critique, bien qu'elle n'en ait aucune preuve. En fait, elle peut même interpréter des indices positifs, tels qu'un sourire ou un éclat de rire, comme la preuve que l'on se moque d'elle. Il en résulte qu'elle se sent inquiète et tendue et se tient à l'écart. Cependant, comme vous pouvez le constater dans cet exemple, ce n'est pas la situation qui rend cette personne anxieuse. C'est sa pensée erronée.

Sur la base de cette nouvelle théorie de la détresse émotionnelle, Beck élabora des interventions thérapeutiques novatrices pour tester ces idées dans la pratique clinique. En appliquant ces techniques thérapeutiques, il constata que nous pouvions changer radicalement notre état d'esprit en corrigeant ces distorsions de la pensée et y substituant des idées plus rationnelles et plus réalistes. Cette découverte lui permit de confirmer son hypothèse selon laquelle la distorsion cognitive est à la base de la mauvaise humeur. De nombreux chercheurs – qui étudièrent subséquemment l'efficacité de ce type d'approche pour traiter de troubles tels que la dépression, les crises de panique et l'inquiétude – confirmèrent cette théorie.

La thérapie de Beck, qui vise à corriger les pensées et les croyances dysfonctionnelles, est connue sous le nom de *thérapie cognitive*. Les écrits de ce chercheur (Beck *et al.*, 1979; Beck, Emery et Greenberg, 1985), ainsi que ceux d'autres thérapeutes cognitifs tels que David Burns (1999b), Albert Ellis (Ellis et Harper, 1975) et Robert Leahy (2003), constituent la base de la théorie et des stratégies présentées dans ce chapitre.

Exercice : imaginez un citron

Vous pouvez mener vos propres expérimentations pour tester les effets qu'entraînent vos pensées en faisant l'exercice suivant: fermez les yeux et représentez-vous, dans une assiette blanche propre, un citron jaune vif coupé en deux. Vous voyez le jus de citron couler dans l'assiette et vous sentez le frais parfum d'agrume. Maintenant, imaginez que vous saisissiez une moitié du citron, que vous la pressiez doucement, puis que vous y mordiez. Vous goûtez le jus du citron et le sentez sur votre langue, tandis que vos papilles gustatives réagissent à la saveur aigre du citron. À présent, prêtez attention à ce qui vous arrive physiquement. Votre bouche se remplit-elle de salive ? Si oui, votre corps réagit alors à une nette image mentale – une cognition. En fait, dans bien des cas, il réagit comme si ce que vous imaginez se passait réellement.

Cognition et inquiétude

Comme vous l'avez vu dans l'exercice ci-dessus, vos pensées ont une incidence puissante sur votre état d'esprit. Et, tout comme vos pensées vous ont fait saliver en l'absence d'aliments, elles peuvent également vous stresser et vous rendre anxieux en l'absence de danger réel. En d'autres mots, lorsque vous imaginez une catastrophe, comme une crise cardiaque ou la perte d'un être cher, vous vous sentez anxieux. Ces pensées et ces images provoquent un resserrement de vos muscles, une accélération de votre rythme cardiaque et vous rendent les mains moites. Rappelez-vous cependant que votre état d'esprit est fonction de ce que pensez.

Si vous vous sentez anxieux, il est fort probable que vous ayez des pensées anxieuses. Ces pensées jouent un rôle clé dans votre anxiété. En l'absence de ces pensées, images ou rêveries effrayantes, il vous est pratiquement impossible de ressentir l'appréhension anxieuse associée généralement à l'inquiétude fréquente.

Vos pensées anxieuses, et les émotions qu'elles vous inspirent, ressemblent à un film d'horreur. Repensez à un film d'horreur que vous avez déjà regardé. Peut-être *Les dents de la mer* ou *Psychose.* Avez-vous sursauté lorsqu'une porte a claqué? Avez-vous crié lorsque le méchant a surgi d'un placard? Vos muscles se sont-ils tendus lorsque le suspense s'est accru? Bien entendu, aucun des événements terrifiants du film ne vous est effectivement arrivé, mais votre corps a réagi comme si vous étiez la personne qui subissait tous ces dangers. Comme vous pouvez le voir d'après vos réactions, souvent votre corps ne fait pas de distinction entre ce qui est réel et ce qui est imaginé. La même chose se passe lorsque votre inquiétude prend dans votre esprit la forme de scénarios de films d'épouvante; vous réagissez comme si l'objet de vos craintes était effectivement survenu. Le résultat est l'anxiété. Au fur et à mesure que vous apprendrez à maîtriser votre inquiétude, désamorcer les scénarios d'horreur – survenant sous la forme de pensées catastrophiques – deviendra l'une de vos tâches principales.

Exercice : reconnaissez vos pensées anxieuses

Pour vous exercer à reconnaître vos cognitions anxieuses, réfléchissez à un moment au cours de la dernière semaine où vous vous êtes senti inquiet ou tendu. Qu'est-ce qui vous a traversé l'esprit? Quelles scènes vous êtes-vous imaginées? Quelle catastrophe avez-vous anticipée? Notez vos pensées dans votre cahier. Soyez aussi précis et explicite que possible.

Les distorsions cognitives courantes

Comme nous l'avons indiqué précédemment, on suppose en thérapie cognitive que lorsque les personnes se sentent inquiètes sans qu'il ait de menace immédiate, elles font des déductions erronées sur elles-mêmes, sur les autres et sur le monde.

Les thérapeutes cognitifs appellent ces déductions erronées des *distorsions cognitives.* Elles prennent généralement des formes précises. Les pages qui suivent décrivent les distorsions cognitives qui se manifestent fréquemment dans l'inquiétude. Lisez attentivement ces pages et examinez vos propres pensées. Certaines de ces pensées vous semblent-elles familières? Percevez-vous l'une ou l'autre de ces distorsions dans votre pensée, lorsque vous vous inquiétez?

L'EXAGÉRATION DE LA MENACE

Souvent les personnes qui s'inquiètent *exagèrent* (ou surestiment) la probabilité qu'un résultat négatif survienne. En raison de cette distorsion de la pensée, un événement négatif lointain et improbable apparaît comme très probable. En d'autres termes, la possibilité qu'une catastrophe survienne est confondue avec la probabilité qu'elle survienne. Presque tout peut se produire, mais beaucoup de choses pour lesquelles on s'inquiète, comme mourir d'une maladie rare ou être complètement rejeté par les autres, ne sont tout simplement pas vraisemblables.

Voici quelques exemples de surestimation de la menace. Notez bien que, dans chaque cas, la catastrophe *est* possible. Mais, bien que ces événements soient possibles, demandez-vous ensuite *à quel point* ils sont susceptibles de se produire.

- Craindre les vaccinations infantiles standard malgré une très faible incidence de complications.

- Penser que la viande de bœuf bien cuite peut quand même causer des problèmes de santé comme la « maladie de la vache folle » ou une infection de type *E coli*.

- Supposer que l'on sera congédié si l'on arrive au travail en retard.

- S'inquiéter de rester coincé dans un ascenseur et d'y mourir de faim.

LA LECTURE DE LA PENSÉE D'AUTRUI

Comme vous pouvez l'imaginer, la *lecture de la pensée d'autrui* se manifeste fréquemment chez les personnes qui s'inquiètent à l'égard de situations sociales. Comme son nom l'indique, cette distorsion consiste à deviner ce que les autres pensent.

Dans la plupart des cas, la lecture de la pensée d'autrui est le fait de supposer que d'autres personnes ont des pensées négatives à notre égard. Habituellement, il y a peu de preuves, sinon aucune, à l'appui de cette hypothèse. Voici quelques exemples de lecture de la pensée d'autrui :

- Si je fais une mauvaise présentation, mes collègues vont penser que je suis stupide.

- Des personnes ne cessent de me dénigrer et de critiquer ma performance.

- Tout le monde pense que je suis laid.

- Les gens penseraient que je suis vraiment cinglé s'ils me connaissaient vraiment.

LA PENSÉE DU TOUT OU RIEN

La *pensée du tout ou rien,* ou la pensée dichotomique, vous fait classer les choses dans des catégories extrêmes. Par exemple, vous pouvez dire de la présentation que vous avez donnée qu'elle était « parfaite » ou « horrible ». Au lieu de percevoir votre présentation de manière équilibrée et raisonnée, vous ignorez les nuances de gris et les subtilités de la vie, et vous classez votre expérience dans la catégorie du tout ou du rien. Voici quelques exemples de pensées du tout ou rien :

- Croire que prendre l'avion est « dangereux ».

- Se décrire soi-même comme « irresponsable » si l'on oublie une tâche.

- Étiqueter le marché du travail comme « mauvais » lorsqu'on cherche un emploi.

- Se traiter de « raté » si l'on n'atteint pas un objectif personnel.

LA PENSÉE CATASTROPHISTE

La *pensée catastrophiste* consiste à décrire des expériences désagréables en termes très exagérés. Albert Ellis (Ellis et Harper, 1975) l'appelle la pensée du « tout est affreux ». Ici, l'on s'imagine le scénario redouté comme horrible, atroce ou insupportable. On se dit à soi-même que si le pire se produisait, on ne pourrait pas le supporter.

Même les événements qui sont réellement négatifs peuvent nous inspirer une pensée catastrophiste. Prenons pour exemple le cas de cet homme inquiet qui craignait de tomber malade ; il affirmait que les personnes atteintes d'une maladie incurable, tel un cancer, « vivaient dans une terreur constante ». Bien sûr, il est naturel de ressentir de la peur lorsqu'on fait face à la maladie, mais les personnes atteintes d'une maladie mortelle apprennent généralement à s'adapter à la situation et ne vivent pas dans la terreur constante. Voici quelques exemples de pensées catastrophistes :

- Ce serait terrible si quelqu'un remarquait que je transpire.
- Si je perdais mon emploi, ma vie serait finie.
- Si je tombais malade, je ne pourrais pas le supporter.
- Je ne supporte pas d'être coincé dans la circulation.

LES ÉNONCÉS « JE DEVRAIS »

Les énoncés « je devrais » ont pour conséquence de déclencher une sensation d'oppression et de stress. Ils créent un sentiment inutile d'urgence et entretiennent l'illusion d'une catastrophe imminente si l'on ne fait pas ce que « l'on devrait ». Les énoncés « je devrais » que l'on s'adresse à soi-même entraînent souvent un vif sentiment de culpabilité. Les énoncés « les autres devraient », qui ciblent d'autres personnes que soi-même, génèrent habituellement un sentiment de colère.

Ce type de cognitions recèle aussi souvent un message caché : si vous ne suivez pas ces règles, vous êtes un raté. Albert Ellis a construit une grande partie de sa thérapie, dite thérapie comportementale rationnelle émotive, autour de l'élimination des énoncés « je devrais ». Voici quelques exemples d'énoncés « je devrais » :

- Je devrais faire de l'exercice cinq fois par semaine.
- Je devrais tenir la maison parfaitement propre.
- Je devrais ne jamais me fâcher.
- Je devrais avoir d'excellentes notes.

LA PENSÉE « S'IL ARRIVAIT QUE »

La pensée « s'il arrivait que » est une arme à double tranchant. Elle peut inspirer la créativité, l'inventivité et la découverte. La pensée « s'il arrivait que l'on envoie un homme sur la lune » a permis à un miracle de se produire. Toutefois, cette pensée peut aussi créer de la détresse, par exemple lorsqu'on se demande « s'il m'arrivait quelque chose de vraiment mauvais ». Ainsi, au lieu d'inspirer l'exploration de possibilités merveilleuses, la pensée « s'il arrivait que » génère des scénarios sans fin de catastrophes redoutées. Voici quelques exemples de pensées « s'il arrivait que » :

- S'il arrivait que ma fille meure dans un accident de voiture ?
- S'il arrivait que j'oublie d'éteindre la cuisinière et que la maison brûle ?

- S'il arrivait que j'aie une attaque de panique embarrassante ?

- S'il arrivait que j'aie mal fait ma déclaration de revenus et que l'on vienne m'arrêter ?

LE FILTRE MENTAL

Le *filtre mental* consiste à relever un aspect négatif d'une situation et à s'y attarder. En réalité, chaque circonstance est un mélange complexe d'éléments à la fois positifs et négatifs. Ruminer seulement les aspects négatifs dégrade votre humeur. De plus, en vous concentrant de manière sélective sur les aspects négatifs, vous rejetez de l'information positive.

Une variation de filtre mental se produit lorsque vous ne pensez qu'aux risques dans une situation donnée et en ignorez les avantages. Par exemple, si vous devez subir une opération chirurgicale, vous pourriez vous concentrer uniquement sur les risques de la procédure et ignorer les bienfaits potentiels que vous en tirerez. Voici quelques exemples de filtre mental :

- Refuser de prendre le train à cause d'un récent accident ferroviaire.

- Ruminer le fait qu'une personne se soit endormie pendant votre présentation, tout en négligeant le fait que d'autres auditeurs se soient montrés intéressés.

- Fixer votre esprit sur un dessert manqué dans un repas que vous avez cuisiné et déconsidérer les autres plats que vous avez servis.

- Vous souvenir seulement des fois où votre conjointe était en retard et négliger les jours où elle a été ponctuelle.

LA GÉNÉRALISATION À OUTRANCE

La *généralisation à outrance* consiste à faire des déductions globales basées sur un nombre limité d'événements. Les maîtres mots de ce type de pensée comprennent des termes sans nuances, tels que « toujours » et « jamais ». Voici quelques exemples de généralisation à outrance :

- Supposer que vous ne trouverez jamais un emploi parce que vous avez reçu une lettre de refus.
- Estimer que vous ne trouverez jamais l'âme sœur parce qu'une personne a décliné votre invitation à sortir.
- Penser que vous souffrirez toujours d'angoisse parce que vous vous êtes beaucoup inquiété au cours d'une journée particulière.
- Vous répéter que vous n'êtes jamais à l'heure parce que vous êtes arrivé en retard à une réunion importante.

LE DÉNI DU POSITIF

Certaines personnes anxieuses ne font pas que percevoir des dangers qui n'existent pas; souvent elles négligent aussi de voir des points positifs qui existent vraiment… y compris leur capacité à faire face aux problèmes. Si vous vous branchez sur votre pensée, la prochaine fois que vous vous surprendrez à être inquiet, vous remarquerez probablement que vous exagérez la menace et minimisez votre capacité de faire face à cette menace. Ce doublet de distorsions cognitives mène à un sentiment d'anxiété. Voici quelques exemples de ce type de pensées :

- Je ne peux pas y arriver.
- Je ne serais pas capable de le supporter.
- Rien ne pourrait m'aider.
- Je ne peux rien faire pour gérer ce problème.
- Je suis impuissant.

Exercice : repérez vos distorsions cognitives

Relisez ce que vous avez écrit au cours de l'exercice précédent, qui consistait à repérer les pensées anxieuses que vous aviez eues au moment où vous vous inquiétiez lors d'un incident particulier. Utilisez la liste de vérification ci-dessous pour reconnaître les distorsions cognitives dans votre pensée. Cochez chaque énoncé qui s'applique.

- ❑ Surestimation de la menace
- ❑ Lecture de la pensée d'autrui
- ❑ Pensée du tout ou rien
- ❑ Pensée catastrophiste
- ❑ Énoncés « je devrais »

- ❑ Pensée « s'il arrivait que »

- ❑ Filtre mental

- ❑ Généralisation à outrance

- ❑ Déni du positif

Rappelez-vous que reconnaître vos pensées anxieuses et vos distorsions cognitives est une étape clé de la maîtrise de votre inquiétude. La prochaine fois que vous vous sentirez anxieux, prêtez l'oreille à ce qui se passe dans votre esprit. Il y a de fortes chances que les pensées et les images de catastrophes y soient légion. Ces pensées et images jouent un rôle important dans la création et le maintien de votre anxiété.

La solution consiste à modifier vos cognitions en confrontant votre pensée à des idées plus réalistes. En substituant des pensées réalistes et rationnelles à vos pensées irréalistes et déformées, vous *pouvez* changer votre état d'esprit !

Des techniques précises pour changer votre façon de penser

Pour affronter et changer les pensées qui génèrent en vous de l'anxiété et ainsi maîtriser vos inquiétudes, vous devez avoir recours à des méthodes précises. Cela signifie qu'il vous faudra anticiper l'avenir de manière plus réaliste, notamment en évaluant avec une précision accrue la probabilité qu'un événement négatif se produise et en réévaluant votre point de vue sur les répercussions qu'aurait un tel événement. Et, comme la plupart des gens qui s'inquiètent minimisent grandement leur talent d'adaptation, il peut être nécessaire que vous développiez un sens plus réaliste de ce que vous êtes capable d'accomplir.

Vous avez déjà recensé quelques-unes des pensées qui sont à l'origine de votre anxiété et vous avez repéré les distorsions cognitives de ces pensées. Maintenant utilisez les techniques énumérées ci-dessous pour confronter vos pensées et les remplacer par des cognitions plus raisonnables et rationnelles.

CONTRER LA PENSÉE CATASTROPHISTE

Lorsque vous êtes anxieux, votre esprit se remplit de pensées et d'images catastrophiques. Un antidote consiste à vous poser une série de questions conçues pour « dédramatiser » votre pensée. Afin de lutter contre la pensée catastrophiste, voici quelques questions à vous poser :

- ❖ Quel est le pire des scénarios ?
- ❖ Quelle est la probabilité que le pire scénario se produise ?
- ❖ Que pourrais-je faire pour affronter la situation si le pire devait arriver ?
- ❖ Dans ce cas, y aurait-il au moins trois autres conséquences envisageables ?
- ❖ Quelle serait la conséquence la plus probable ?
- ❖ Dans le passé, combien de fois ai-je eu raison lorsque j'ai prédit une catastrophe ?

Exercice : affrontez vos pensées catastrophistes

Repérez au moins une de vos pensées catastrophistes chaque jour et notez-la dans votre cahier. Notez le degré d'anxiété associé à cette pensée sur une échelle de 1 à 10. Puis posez-vous les questions énoncées au-dessus et notez vos réponses au-dessous de votre pensée catastrophiste. Après avoir répondu aux questions, notez de nouveau votre degré d'anxiété.

Voici un exemple : courtière en valeurs mobilières, Marie est souvent inquiète à l'idée de perdre son emploi. Voici comment Marie affronte cette pensée catastrophique :

PENSÉE NÉGATIVE : *Je vais perdre mon emploi.*

Degré d'anxiété : 8

Quel est le pire scénario ?
Je pourrais devenir une sans-abri.

Quelle est la probabilité que le pire scénario se produise ?
La probabilité est très faible.

Que pourrais-je faire pour affronter la situation si le pire devait arriver ?
Je pourrais aller vivre chez ma sœur.

Quelles seraient les autres conséquences possibles (au moins trois) si le pire arrivait.

1. *Je trouverais un autre emploi.*

2. *Je pourrais vivre de mes économies.*

3. *Je pourrais retourner aux études et entreprendre une nouvelle carrière.*

Quel est le résultat le plus probable ?
Si je suis congédiée, je vais survivre et trouver un autre emploi.

Combien de fois ai-je eu raison dans le passé
lorsque j'ai prédit une catastrophe ?
Jamais

Degré d'anxiété révisé : 2

EXAMINEZ LES PREUVES

Lorsqu'on se sent inquiet, on a tendance à traiter nos pensées comme si elles étaient vraies sans tenir compte des faits. En examinant les preuves, nous démontrons un scepticisme sain à l'égard de nos pensées. En d'autres mots, nos pensées anxieuses peuvent et doivent être soumises à la même rigueur que nos autres pensées. Elles ne méritent pas d'être traitées comme des faits sans preuves solides pour les appuyer. Utilisez les questions suivantes pour sonder vos pensées inquiètes et déterminez si ces pensées recèlent la vérité :

Parmi toutes mes prédictions, laquelle arrivera précisément ?

- Quels sont les faits à l'égard de ma prédiction ?
- Quelle est la preuve en faveur de cette prédiction ?

- ❖ Quelle est la preuve à l'encontre de cette prédiction ?
- ❖ Quel aspect est le plus convaincant?
- ❖ En me fondant sur les preuves disponibles,que pourrais-je suggérer à un ami de faire dans la même situation ?
- ❖ Que puis-je faire à ce sujet maintenant?

Exercice : quelle est la preuve ?

Utilisez les questions ci-dessus pour récuser vos prédictions négatives. Les personnes qui s'inquiètent supposent souvent le pire en se basant sur peu de données, voire aucune. S'en tenir strictement aux faits permet de contrer cette tendance. En voici un exemple :

Jeanne s'était persuadée qu'elle allait échouer à un examen important. Toutefois, après avoir examiné les preuves, elle vit qu'elle avait beaucoup étudié, qu'elle avait bien réussi les examens précédents, qu'elle avait assisté à tous les cours et qu'elle s'était entretenue avec le professeur pour éclaircir certaines zones de difficulté. Ces éléments de preuve remirent en question son hypothèse selon laquelle elle était vouée à l'échec ; son inquiétude en fut donc dès lors grandement dissipée. De plus, Jeanne a suivi à la lettre les suggestions qu'elle donnait elle-même à ses amis lorsque ceux-ci s'inquiétaient à propos des examens: détendez-vous, assurez-vous de connaître la matière, passez une bonne nuit de sommeil et tout ira bien !

L'ANALYSE COÛTS-AVANTAGES

En dépit de toute la détresse que l'inquiétude inspire, elle exerce à certains moments une fonction importante. Comme vous le savez, perdre la maîtrise de son inquiétude est improductif, alors que la maîtriser présente l'avantage décisif de vous aider à résoudre des problèmes. Utilisez les questions ci-dessous pour examiner votre inquiétude au microscope afin de décider si elle vous est vraiment profitable :

- En quoi votre inquiétude vous aide-t-elle ?
- Quels sont les inconvénients de votre inquiétude à cet égard ?
- En vous basant sur cette évaluation, croyez-vous que cette inquiétude vous est utile ou nuisible ?

Exercice : procédez à une analyse coûts-avantages

Divisez une feuille de papier en deux. À gauche, dressez la liste des coûts de l'inquiétude sur une question précise. À droite, faites de même avec les avantages. De chaque côté de la feuille, attribuez des points en vous basant sur le degré d'importance que vous accordez aux coûts et aux avantages. Assurez-vous que le nombre total de points des deux côtés s'élève à 100. N'oubliez pas de noter des conséquences telles que des problèmes d'ordre physique, l'insomnie et les questions touchant les relations interpersonnelles. Une fois que vous aurez attribué les points, voyez de quel côté penche la balance ? Les coûts dépassent-ils les avantages, ou vice versa ?

Édouard, expert-comptable âgé de 40 ans, s'inquiète souvent d'arriver en retard au travail. Il croit qu'il devrait toujours être à l'heure, comme tout le monde. Voici pour Édouard l'analyse coûts-avantages de sa croyance « je devrais toujours être à l'heure ».

Coûts	Avantages
Je suis pressé et stressé.	Je suis généralement à l'heure.
Je conduis comme un maniaque.	Mes collègues me voient comme quelqu'un de ponctuel.
J'ai des maux de tête de tension.	
Je suis brusque avec mes collègues, ma conjointe et mes enfants.	
Je réagis de manière excessive à des choses comme la circulation automobile.	
Je panique si je suis en retard.	
Je perds patience lorsque les autres sont en retard.	
Score	
85	**15**

Cet exercice a démontré à Édouard que son inquiétude d'être en retard lui faisait plus de mal que de bien. Il s'est également rendu compte qu'il pouvait toujours s'efforcer d'être à l'heure, sans pour autant paniquer s'il était en retard. Cette prise de conscience l'a libéré de cette inquiétude particulière ; elle lui a permis d'accepter ainsi les inconvénients inévitables de la vie sans s'imposer une pression indue.

LA MACHINE
À REMONTER LE TEMPS

Robert Leahy a décrit la stratégie de la machine à remonter le temps dans son livre *Cognitive Therapy Techniques* (2003). En résumé, si vous vous inquiétez au sujet d'un événement particulier, comme la perte d'un être cher ou un congédiement, vous vous concentrez probablement sur les conséquences immédiates de cet événement en négligeant le fait que les choses pourraient changer avec le temps. Le vieil adage « Le temps guérit toutes les blessures » contient une bonne part de vérité. Vous pourrez le constater par vous-même en repensant à une difficulté ou à un contretemps auquel vous avez dû faire face, comme une maladie ou un problème financier. En examinant cette situation, vous verrez que la partie la plus difficile de votre épreuve est survenue en premier. Au fil du temps, vous avez réussi à faire face efficacement à ce problème. C'est la clé de la technique de la machine à remonter le temps. En utilisant les questions ci-dessous, vous pouvez scruter l'avenir et voir comment la catastrophe appréhendée vous affecte au fil du temps.

Si le résultat que je redoute se produit, comment vais-je me sentir à ce sujet dans un mois ? Comment vais-je me sentir dans six mois ? Dans un an ? Dans cinq ans ? Dans dix ans ?

Que serai-je en train de faire pour régler ce problème dans un mois ? Dans six mois ? Dans un an ? Dans cinq ans ? Dans dix ans ?

Exercice : un tour dans la machine à remonter le temps

Sélectionnez le pire des scénarios qui vous préoccupent, comme perdre votre conjoint ou perdre votre emploi. Sur une feuille de papier, faites une description détaillée de la manière dont vous répondriez à cet événement en suivant la grille temporelle proposée dans les questions ci-dessus. Comment vous sentiriez-vous ? Que feriez-vous ? Comment viendriez-vous à bout de la situation ? Qu'est-ce que cela changerait au fil du temps ?

À titre d'exemple, Catherine s'inquiétait souvent que ses parents meurent. Trait typique de l'inquiétude, Catherine se concentrait essentiellement sur la douleur immédiate que lui infligerait cette perte si celle-ci survenait. Elle a réfléchi alors au terrible sentiment qu'elle éprouverait et s'est imaginé à quel point ses parents lui manqueraient. En se servant de la technique de la machine à remonter le temps pour réévaluer sa vision de la situation, elle a examiné son état d'esprit et sa réaction à l'épreuve au fil du temps. Grâce à ce processus, elle a anticipé la perte de ses parents de manière moins catastrophique et plus réaliste qu'auparavant. Plutôt que de voir cette perte comme un malheur insupportable, elle l'a plutôt vue comme une épreuve très difficile, surtout au début, mais une épreuve qu'elle pourrait progressivement affronter à mesure que le temps passerait.

RESTEZ DANS LE PRÉSENT

L'inquiétude peut servir un but ironique. Lorsque vous vous imaginez d'horribles scénarios d'avenir, l'inquiétude vous détourne des problèmes plus terre à terre mais bien réels. En vous recentrant sur vos problèmes tangibles et inscrits dans le moment présent, vous pouvez développer des solutions pratiques et réduire de la sorte les conséquences négatives de l'inquiétude. Lorsque vous vous inquiétez, voici quelques questions essentielles à vous poser :

- Qu'est-ce qui me tracasse *vraiment* ?
- Y a-t-il des problèmes particuliers que je doive affronter maintenant ?
- Que puis-je faire aujourd'hui pour améliorer les choses ?
- Quelles actions puis-je entreprendre pour résoudre mes problèmes actuels ?

Exercice : faire face au présent

La prochaine fois que vous vous surprendrez à vous inquiéter, passez ces questions en revue. Elles vous aideront à demeurer dans le présent et à réduire votre inquiétude. Pour atténuer votre anxiété, il est crucial que vous vous concentriez sur ce qui se passe réellement, au lieu de ce qui pourrait arriver. En établissant les mesures à prendre pour faire face à vos problèmes et en faisant des gestes concrets, vous mènerez une action constructive, puissant antidote à l'inquiétude.

Sandrine utilisait l'inquiétude pour créer une diversion chaque fois que des problèmes réels surgissaient dans sa vie. Dès qu'elle devait faire face à une difficulté, son ancienne inquiétude au sujet de la santé et de la sécurité de ses enfants resurgissait comme un cheveu sur la soupe. Au fil du temps, elle a appris à utiliser ces inquiétudes comme déclencheur pour régler un problème *réel* et important. En se posant les questions énumérées ci-dessus, Sandrine a découvert ses problèmes cachés et a élaboré ensuite des stratégies pour y faire face directement au lieu d'utiliser l'inquiétude pour dissimuler ce qui la tracassait vraiment.

Points importants

Dans ce chapitre, vous avez appris que votre pensée joue un rôle dans votre état d'esprit. En substance, si vous vous sentez anxieux, il est fort probable que vos pensées soient négatives et empreintes d'inquiétude.

- Recensez vos pensées anxieuses en les notant sur papier.
- Examinez la liste des distorsions cognitives et repérez les distorsions de vos pensées.
- Utilisez les méthodes cognitives pour dissiper vos distorsions cognitives et substituer à vos pensées inquiètes des réponses plus réalistes et rationnelles.
- Exercez-vous encore et encore! Continuez de travailler jusqu'à ce que vous changiez vos pensées et réduisiez votre inquiétude.

Chapitre

Réagir différemment

Diane, vingt-huit ans, voulait suivre une thérapie pour contrer l'inquiétude. Au moment du traitement, elle étudiait à temps plein tout en élevant son fils, âgé alors de deux ans ; elle avait du mal à joindre les deux bouts et subsistait grâce à un prêt étudiant et à de maigres économies. Naturellement, Diane s'inquiétait pour l'argent. Et lorsqu'elle s'inquiétait, elle réagissait toujours de la même manière : elle épluchait son budget de long en large, essayant en vain d'y découvrir des surplus d'argent.

Julie, brillante et hyperactive kinésithérapeute de trente-quatre ans, a un fils de huit ans qu'elle aime profondément. Au cours de sa thérapie destinée à contrer l'inquiétude, elle décrivit, les larmes aux yeux, sa crainte principale. « J'ai une peur maladive que mon fils meure dans son sommeil. Je suis terrorisée à l'idée de le trouver mort lorsque je vais le réveiller le matin. » Comme vous pouvez l'imaginer, cette inquiétude la rendait presque incapable de fermer l'œil. Nuit après nuit, Julie se retournait dans son lit. Son esprit était envahi de pensées où elle voyait son fils succomber en plein sommeil. En parlant de l'emprise que cette crainte exerçait sur elle, Julie expliqua à son thérapeute comment elle y répondait : « Chaque fois que je m'inquiète au sujet de mon fils en train de mourir, je vérifie pour m'assurer qu'il est toujours en vie. Il me suffit de le voir respirer pour me détendre pendant quelques minutes. »

Ces réactions d'inquiétude de Diane et de Julie – éplucher son budget ou vérifier si l'enfant endormi est bien vivant – sont reconnues comme des *comportements inquiets* (Brown, O'Leary et Barlow, 2001). Ce chapitre traite de ces comportements et de votre façon de réagir après que l'inquiétude s'est manifestée. Comme vous le savez, ces réactions ont un puissant effet sur votre inquiétude. Vous découvrirez comment le fait de modifier ce type de réponse peut vous permettre de maîtriser votre inquiétude.

Que sont les comportements inquiets ?

Les comportements inquiets sont des actions déployées pour répondre à l'inquiétude et réduire l'anxiété. Les comportements inquiets se différencient d'une réelle résolution des problèmes, en ce sens qu'ils n'ont pas de véritable incidence sur l'issue des événements. La différence réside donc dans la finalité du comportement. Résout-il réellement le problème que vous affrontez ou fait-il en sorte que vous vous sentiez mieux ? Diane venait à bout de son inquiétude en calculant son budget à répétition. Julie gérait sa peur en vérifiant si son fils dormait. Ces comportements réduisaient temporairement l'anxiété de l'une et l'autre, mais ne modifiaient en rien le résultat final. Après avoir épluché son budget à maintes reprises, Diane n'avait pas plus d'argent ; pas plus que le fils de Julie ne survivait grâce aux vérifications constantes de sa mère.

Une vieille plaisanterie illustre l'essence même de ces réponses inadaptées à l'inquiétude.

Un homme en visite dans un village est réveillé à l'aube par le son bruyant d'une trompette. Il sort du lit, se promène d'un bout à l'autre du village et découvre le trompettiste.

« Veuillez m'excuser, mais que faites-vous là ? » demande le visiteur à demi éveillé.

Le trompettiste répond avec empressement : « Je garde les éléphants loin du village, Monsieur ! »

Perplexe, le visiteur fait poliment remarquer qu'il n'y a d'éléphants nulle part près du village.

L'homme à la trompette sourit et répond fièrement: « Exactement, Monsieur ! »

Dans cette blague, jouer de la trompette dénote un comportement inquiet. Bien sûr, la musique n'a pas d'effet sur des éléphants qui piétineraient un village. Mais en jouant de la musique chaque matin, le trompettiste se sent moins anxieux quant à la possibilité qu'une charge d'éléphants survienne. Telle est la nature des comportements inquiets. Ils n'ont pas vraiment d'effet, mais on a l'impression qu'ils en ont.

COMMENT SE PRÉSENTENT LES COMPORTEMENTS INQUIETS?

Vous pourriez vous demander pourquoi quelqu'un persévérerait ainsi dans ces comportements – comme Diane analysant son budget ou Julie vérifiant le sommeil de son fils –, alors qu'ils n'ont pas de portée réelle sur l'issue des événements. Il y a là plusieurs raisons. En premier lieu, les comportements inquiets provoquent une réduction temporaire de l'anxiété. De la sorte, après avoir adopté ces comportements, vous vous sentez moins anxieux. Cependant, le problème est que l'inquiétude reviendra inévitablement. Et lorsque cela se produira, vous vous sentirez obligé d'adopter encore un comportement inquiet. Il en résulte donc un cercle vicieux. Et comme ces comportements ne résolvent pas le problème en soi, et n'éliminent pas votre inquiétude, vous devez les répéter chaque fois que l'inquiétude se manifeste.

Les comportements inquiets vous convainquent aussi que vos actions préviennent la catastrophe. C'est un argument irréfutable.

Prenez le cas de Julie. Plusieurs fois par nuit, elle vérifie si son fils est bien vivant. Et chaque matin, il se réveille plein de vie et d'attaque pour le petit déjeuner. Le résultat final est que Julie en conclut que la vérification maintient son fils en vie. Mais pourquoi est-il vraiment encore en vie ? Est-ce bien à cause de la vérification ? Ou n'est-ce pas plutôt parce qu'il est extrêmement peu probable qu'un enfant meure dans son sommeil ?

Votre perception des conséquences qu'il y aurait à *ne pas* recourir à ces actions est une raison qui vous pousse à adopter des comportements inquiets. Imaginez par exemple que vous viviez dans une grotte à l'époque préhistorique. Du plus loin que vous vous souvenez, la coutume ancestrale des repas nocturnes suivis de chants en cercle a toujours existé. En grandissant, vous découvrez que le chant a pour but d'assurer que le soleil se lèvera le lendemain. Certes, le lever du soleil est essentiel. Si le soleil ne se lève pas, le résultat sera catastrophique. Et le chant semble fonctionner. Donc chaque nuit, vous chantez et bien sûr le soleil se lève le lendemain. Un jour, c'est à votre tour de conduire le chant. Voulez-vous être celui qui empêchera le soleil de se lever ? Que faire si le soleil ne se lève pas le lendemain ? Voudriez-vous porter cette responsabilité sur les épaules ? Seule la peur des conséquences qu'il y aurait à éliminer les comportements inquiets vous pousse à répéter ces comportements chaque fois que vous vous inquiétez.

TYPES COMMUNS DE COMPORTEMENTS INQUIETS

Au terme d'années de pratique clinique, nous sommes convaincus qu'il existe une variété infinie de comportements inquiets. Toutefois, les différents comportements inquiets que nous constatons peuvent généralement être répartis en quelques catégories précises, les plus communes étant les superstitions, la vérification, la répétition, l'excès de préparation, l'excès de conscience, la recherche de réconfort et l'évitement.

Les superstitions : ces comportements inquiets sont adoptés pour empêcher les résultats redoutés de se produire. En adoptant ces comportements, vous vous persuadez vous-même que vous avez réduit ou éliminé le risque encouru. En pratique, cependant, ces comportements n'ont pas d'effet réel sur la probabilité que ce qui vous inquiète se produise effectivement. Prenons l'exemple de Sarah, assistante administrative de 31 ans, qui voyage souvent pour le travail. Chaque fois qu'elle se déplace, elle refuse de porter du noir et ne réserve jamais de chambre d'hôtel au treizième étage. Elle croit que ces deux comportements réduisent le risque de mourir en voyage. Ce phénomène est l'essence même d'un comportement inquiet : ces actions permettent à Sarah de se sentir mieux, mais n'ont aucun effet sur sa sécurité réelle.

La vérification : comme son nom l'indique, ce type de comportement suppose des vérifications multiples et répétitives pour atténuer l'anxiété. Julien, comptable de 37 ans et père de deux jeunes enfants, adopte le comportement inquiet de « vérification » chaque fois que sa crainte d'une intoxication au monoxyde de carbone se manifeste. Il vient à bout de cette crainte en vérifiant les détecteurs de monoxyde de carbone dans la maison plusieurs fois par jour pour s'assurer qu'ils fonctionnent bien.

La répétition : elle constitue à reproduire sans cesse les mêmes réponses à une inquiétude. Il peut s'agir de réitérer la même assertion à de nombreuses reprises ou de répéter maintes fois une action. À titre d'exemple, Daniel, avocat expérimenté, s'inquiète d'induire accidentellement quelqu'un en erreur au cours d'une conversation. Il craint de donner de mauvaises informations, d'indiquer la mauvaise direction ou de fournir un numéro de téléphone erroné. Au cours des conversations, il exprime cette inquiétude en répétant son discours à l'excès afin de s'assurer que la personne à qui il parle n'est pas induite en erreur.

L'EXCÈS DE PRÉPARATION : Donald, professeur de collège souffrant d'inquiétude chronique, nous fournit un bon exemple de ce type de comportement inquiet. Il éprouve la peur panique d'être insuffisamment préparé lorsqu'il donne une conférence. Il s'inquiète à l'idée qu'un étudiant puisse lui poser une question à laquelle il serait incapable de répondre. Dans son esprit, si cela se produisait, tous les étudiants de sa classe pourraient penser qu'il est incompétent; et, à la faculté, la rumeur sur son incompétence se répandrait alors comme une traînée de poudre... pour aboutir à un humiliant congédiement public. Donald répond donc à cette inquiétude en préparant ses classes à l'excès. Chaque jour, il consacre plusieurs heures à peaufiner son exposé hebdomadaire. Cette surpréparation culmine le jour où il doit donner son cour; il passe ainsi huit heures à se préparer pour une seule heure de conférence ! Nettoyer la maison bien avant l'arrivée des invités, étudier excessivement avant un examen ou transporter sur soi une pharmacie de médicaments en vente libre au cas où l'on tomberait malade sont autant d'exemples de surpréparation.

L'EXCÈS DE CONSCIENCE : ce comportement inquiet consiste à prendre des mesures extrêmes pour éviter de froisser d'autres personnes ou de violer un code moral. Considérons Sophie, mère de quatre enfants, particulièrement inquiète à l'idée d'offenser d'autres personnes en faisant quelque chose de « mal » ou de « contraire à l'éthique ». En réponse à cette crainte, Sophie pousse à l'extrême les idéaux positifs de la morale et de l'éthique. Au cours de sa thérapie, elle a raconté comment elle avait fait un détour d'une heure en voiture pour rembourser un ami qui lui avait prêté de la monnaie pour faire un petit achat. Vous remarquerez peut-être un comportement similaire en vous si vous partagez l'inquiétude que les autres puissent vous déconsidérer ou penser que vous n'êtes pas « correct » en tout temps.

La recherche de réconfort : l'essence de la recherche du réconfort consiste à s'efforcer d'éliminer le doute. Vous attendez sans doute du réconfort de la part de vos amis ou des membres de votre famille. Pour vous réconforter, vous pouvez aussi consulter des experts, comme les médecins, ou chercher compulsivement sur Internet, dans des livres ou d'autres sources d'information. Quel que soit le moyen retenu, votre démarche a pour but de vous fournir la garantie que l'objet de votre peur ne se réalisera pas. Prenons le cas d'Éric, excellent analyste financier, qui s'inquiétait constamment au sujet de sa santé. Chaque fois qu'il ressentait une douleur ou un nouveau tiraillement bizarre, il se ruait sur Internet et y cherchait l'assurance qu'il était en bonne santé. Parfois, après des heures de recherche, il se convainquait qu'il n'avait rien. Mais s'il continuait à se sentir anxieux, Éric se précipitait alors chez le médecin pour se faire prescrire une série d'analyses afin de se rassurer lui-même. Malheureusement, le réconfort d'un diagnostic de bonne santé était toujours pour lui de courte durée. Car, quand une nouvelle douleur apparaissait, il reprenait de plus belle sa quête de certitude.

L'ÉVITEMENT : l'évitement est une caractéristique essentielle de l'anxiété et de l'inquiétude chroniques. Derrière l'évitement se cache la croyance que si vous vous tenez loin de vos peurs, elles ne pourront pas se réaliser. Référons-nous au cas de Benoît, professionnel actif de 40 ans. Son plus grand projet dans la vie est de se marier et de fonder une famille. Malheureusement, sa plus grande crainte est de se retrouver coincé dans un mariage raté. Le résultat de cette crainte est que Benoît évite autant que possible les rendez-vous galants. Et s'il lui arrive de sortir avec une femme, il lui trouve vite quelque chose qui ne va pas et met fin à cette relation avant qu'elle devienne trop intime. De cette manière, Benoît évite certes le risque de vivre une mauvaise relation ; mais il y a une conséquence négative à cet évitement. En étant si prudent, il s'empêche bien évidemment aussi de réaliser son rêve et de connaître un jour les joies d'un heureux mariage et d'une vie familiale épanouissante.

Exercice : repérez vos comportements inquiets

C'est à votre tour de déceler vos comportements inquiets. La prochaine fois que vous vous inquiéterez, notez attentivement votre façon de réagir. Avez-vous eu l'un ou l'autre des comportements mentionnés ci-dessus ? Quels étaient-ils ? Dressez la liste de ces comportements dans votre cahier. Vous vous concentrerez sur ces comportements à mesure que vous modifierez votre réponse à l'inquiétude.

Éliminez les comportements inquiets !

L'idée que modifier des comportements inquiets aide les personnes à maîtriser leur détresse remonte à 1966, à l'époque où le psychologue Victor Meyer œuvrait, dans un hôpital en Angleterre, auprès de personnes souffrant de trouble obsessionnel compulsif (TOC). Le TOC était alors considéré comme pratiquement incurable. À l'hôpital Meyer, les patients du psychologue souffraient de la peur obsessionnelle de la contamination, une forme courante de TOC. En réponse à ces craintes, ces patients se lavaient à l'excès. En effet, les personnes atteintes de cette forme de TOC peuvent se laver les mains des centaines de fois par jour et prendre des douches qui se prolongent plusieurs heures. Les options de traitement étant alors limitées, Meyer décida d'appliquer un remède audacieux. Il coupa l'eau dans l'hôpital, empêchant ainsi ses patients d'accomplir leurs rituels. En raison de cette intervention, ils se retrouvèrent soudain dans l'impossibilité absolue de se laver ! Pourtant, étonnamment, après avoir ressenti un regain d'anxiété au début, la plupart de ces patients ont vu leur état s'améliorer considérablement à terme. En fait, beaucoup ont vu leurs symptômes s'alléger pour la première fois depuis des années (Meyer, 1966).

Les résultats de l'intervention thérapeutique de Meyer furent si encourageants que des chercheurs de haut niveau, tels que Edna B. Foa (Foa et Franklin, 2001) et Gail Steketee (1993), ont élargi cette approche de traitement à ce qui est connu aujourd'hui sous le nom de technique d'exposition avec prévention de la réponse (EPR). Cette forme de thérapie cognitivo-comportementale est considérée comme la norme d'excellence pour le traitement du TOC. Le principe qui sous-tend l'EPR est simple : *l'exposition,* c'est la confrontation de vos peurs ; *la prévention de la réponse,* c'est l'élimination des comportements qui réduisent vos craintes, tels que le lavage trop fréquent ou la vérification à répétition.

Étant donné que les comportements inquiets et les troubles obsessionnels compulsifs présentent de nombreuses similitudes, les chercheurs et les cliniciens ont récemment commencé à appliquer la technique de la prévention de la réponse pour traiter l'inquiétude (Brown, O'Leary et Barlow, 2001). Le concept est le même que pour le traitement du TOC. Lorsque vous faites face à une inquiétude, refusez d'y réagir. Éliminez plutôt vos comportements inquiets. À l'instar des patients de Meyer, vous pourriez vous sentir plus anxieux au départ. Toutefois, avec le temps, votre anxiété diminuera et vous acquerrez une maîtrise accrue de vos inquiétudes.

COÛTS ET AVANTAGES DE L'ÉLIMINATION DES COMPORTEMENT INQUIETS

L'utilisation de la prévention de la réponse pour éliminer les comportements inquiets a des avantages considérables. Cependant, cette stratégie a aussi un coût. Avant d'entreprendre de vous débarrasser de ces comportements, il est important que vous considériez à la fois les avantages et les inconvénients de votre décision. Les coûts de l'élimination des comportements inquiets peuvent généralement être classés en deux catégories :

1. Une augmentation temporaire de l'anxiété

2. Le risque perçu et redouté est plus susceptible de se réaliser

Comme vous pouvez le voir, ces coûts prennent la forme d'une augmentation de l'inconfort à court terme. En revanche, l'élimination des comportements inquiets procure l'avantage de réduire l'inquiétude à long terme. Vous trouverez ci-dessous quelques-uns des avantages typiques découlant d'une suppression des comportements inquiets :

- Diminution de l'anxiété et de l'inquiétude à long terme
- Sentiment accru de maîtrise de vos inquiétudes
- Liberté accrue, car vous serez libéré de ces activités qui accaparent beaucoup de votre temps
- Amélioration des relations avec autrui
- Prise de conscience que si l'objet de votre peur ne se réalise pas, c'est parce qu'il est improbable qu'il se réalise, et non pas à cause de vos comportements inquiets

Exercice : effectuez une analyse coûts-avantages

Avant de décider d'éliminer les comportements inquiets, effectuez une analyse coûts-avantages. Divisez une feuille de papier en deux et dressez la liste des avantages et des inconvénients qu'il y aura à résister à ces comportements la prochaine fois que vous vous inquiéterez. Lorsque vous examinez votre liste, quel côté l'emporte ? Est-il plus à votre avantage de poursuivre ces comportements ou de les éliminer ?

CHANGEZ VOTRE FAÇON DE RÉAGIR

Supposons que vous décidiez d'utiliser la prévention de la réponse pour éliminer vos comportements inquiets. Cela vous aidera-t-il vraiment ? Vous souvenez-vous de Julie, cette kinésithérapeute qui craignait que son fils ne meure dans son sommeil ? Elle a vaincu sa peur en pratiquant cette seule étape.

La nuit, lorsque l'inquiétude se manifestait, au lieu d'aller s'assurer que son fils était bien vivant, elle restait au lit. Elle refusait obstinément de se lever et d'aller vérifier. La première nuit fut bien sûr extrêmement difficile. Elle restait prostrée dans son lit, en proie à la peur. Des pensées morbides au sujet de son enfant mourant assaillaient littéralement son esprit. Mais elle a tenu bon et ne s'est pas levée. La nuit suivante, elle a fait de même et son inquiétude a commencé peu à peu à diminuer. En l'espace d'une semaine, elle a ainsi vaincu la peur qui la rongeait depuis plus de huit ans ; en fait, depuis la naissance de son fils.

Comme vous pouvez le constater dans cet exemple, cette étape consiste à prendre certains risques. L'un des principaux risques encourus est que l'objet de votre peur puisse effectivement se réaliser ; ce qui est d'ailleurs fort peu probable. Le fils de Julie survivait à ses nuits parce qu'il était en bonne santé et en sécurité et parce qu'il est très inhabituel qu'un enfant meure sans raison apparente dans son sommeil.

De la même manière, bon nombre d'événements que vous redoutez ne se produisent pas, non pas parce que vous les avez empêchés grâce à vos comportements inquiets, mais parce que la plupart de ces craintes correspondent à des circonstances exceptionnelles. Néanmoins, vous continuez à *sentir* le risque lorsque vous résistez à ces comportements face à l'inquiétude. Ce n'est qu'en éliminant vos comportements inquiets que vous acquerrez la conviction qu'ils sont inutiles.

Un deuxième risque encouru est la crainte de demeuré paralysé par l'augmentation temporaire de l'anxiété que vous ressentirez en résistant à ces comportements. De nombreuses personnes inquiètes craignent qu'une anxiété trop grande puisse avoir sur elles des conséquences catastrophiques, comme une dépression nerveuse ou un épisode psychotique. Certains de nos patients nous ont dit qu'ils craignaient de devoir passer le reste de leur vie dans une institution si leur angoisse devenait trop forte. Bien que plusieurs aient cette croyance, l'angoisse, quelle qu'en soit l'intensité, ne rend pas fou.

Enfin, en éliminant les comportements inquiets, vous risquez de vivre une vie qui vous semblera un peu plus incertaine. Les comportements inquiets donnent en effet l'illusion de la certitude. Vous avez l'impression qu'en adoptant ces comportements, vous maîtrisez l'issue des événements. Si vous vous débarrassez de ces comportements, la vie peut paraître alors plus incertaine et non maîtrisée. Mais est-ce vraiment le cas? Ou avez-vous vécu aussi longtemps dans l'incertitude?

Exercice : éliminez vos comportements inquiets

Essayez cette étape à votre tour. La prochaine fois que vous vous surprendrez à être inquiet, *refusez* de faire quoi que ce soit! Au début, vous pourriez sentir votre angoisse s'intensifier. Soyez têtu et ne cédez en rien! Votre anxiété finira par diminuer et vous vous sentirez mieux. Lorsque cela se produira, félicitez-vous. Vous venez de prendre une décision importante dans l'apprivoisement de votre inquiétude.

SI VOUS AVEZ DE LA DIFFICULTÉ

Se débarrasser de ses comportements inquiets peut sembler simple, mais c'est une tâche difficile. Voici quelques conseils à suivre si vous éprouvez des difficultés :

- Éliminez tous les comportements inquiets. Vous ne gagnerez pas grand-chose à vous débarrasser de certains comportements inquiets tout en en conservant d'autres.

- Lorsque vous éliminez un comportement inquiet, assurez-vous de ne pas lui en substituer un nouveau. Cela inclut de nouveaux comportements ayant la même fonction que celui que vous avez éliminé. À titre d'exemple, si Julie avait remplacé son habitude d'aller vérifier si son fils dormait par l'utilisation d'un moniteur pour bébé afin de l'écouter respirer à partir de sa chambre, elle n'aurait pas vraiment vaincu sa peur.

- Débarrassez-vous des comportements inquiets dans toutes les situations et à tout moment ! Une fois que vous décidez d'en finir avec un comportement inquiet, faites-le complètement. Si vous vous engagez dans le comportement inquiet, même sporadiquement, votre inquiétude perdurera.

- Méfiez-vous de vos actions. Les comportements inquiets peuvent être remarquablement subtils. Si vous éliminez un comportement et ne ressentez pas une certaine augmentation de l'anxiété au début, il est probable que vous ayez laissé échapper quelque chose. Observez attentivement. N'avez-vous rien oublié ? Si c'est le cas, éliminez-le.

Remplacer les comportements inquiets

Les comportements inquiets peuvent accaparer beaucoup de temps. Une fois que vous les aurez éliminés, vous pourriez avoir une abondance de temps libre, ce qui peut représenter un terreau fertile pour un surcroit d'inquiétude. Heureusement, il existe une solution à ce problème : la planification d'activités.

La planification d'activités signifie que l'on planifie volontairement des choses à faire pour remplir le temps libre. Les types d'activités que vous pourriez programmer peuvent être répartis en deux catégories : les événements agréables et ceux de maîtrise de la situation (Burns, 1999). Les événements agréables sont les activités que vous trouvez amusantes et agréables. En voici quelques exemples :

- ❖ Magasiner
- ❖ Lire
- ❖ Aller au cinéma, assister à un concert, à un événement sportif ou à un spectacle
- ❖ Prendre un repas avec un ami
- ❖ Écouter de la musique

Les événements de maîtrise de la situation sont des activités qui ne sont pas forcément plaisantes, mais qui procurent plutôt un sentiment de satisfaction ou de réalisation. En voici quelques exemples :

- ❖ Payer des factures
- ❖ Équilibrer vos états de compte bancaire
- ❖ Faire le ménage

- Faire réparer la voiture
- Mettre à jour votre CV
- Faire des exercices

Exercice : faites une liste des activités qui vous sont agréables ou qui vous donnent un sentiment de maîtrise

Divisez une page de votre cahier en deux. D'un côté, écrivez le titre « Plaisir » et de l'autre, « Maîtrise ». Sur le côté plaisir, dressez la liste des activités que vous aimez aujourd'hui ou celles que vous avez aimées à un certain moment dans le passé. Énumérez aussi les activités que vous aimeriez faire, mais que vous n'avez jamais réellement essayées. Supposons par exemple que vous vouliez apprendre à peindre. Dans ce cas, inscrivez « peinture » dans la colonne « plaisir » même si vous ne l'avez jamais encore fait. Sur le côté « maîtrise », énumérez les corvées et les activités qui vous donnent un sentiment d'accomplissement une fois que vous les avez remplies. Du côté « maîtrise », assurez-vous d'énumérer tout ce que vous remettez à plus tard, comme voir votre médecin ou retourner un appel téléphonique.

Exercice : programmez des activités qui vous sont agréables ou qui vous donnent un sentiment de maîtrise

Une fois que vous aurez établi la liste des activités qui vous apportent un sentiment de plaisir ou de maîtrise, utilisez un agenda pour situer ces activités dans des créneaux horaires précis tout au long de la journée. Accordez une attention particulière aux périodes durant lesquelles vous vous inquiétez et adoptez habituellement des comportements inquiets. Durant ces périodes critiques, investissezvous dans des activités qui vous apporteront un sentiment de plaisir ou de maîtrise et menez-les à terme, tel que prévu.

Points importants

- Les comportements inquiets réduisent l'anxiété et améliorent momentanément votre état d'esprit. Tout ce que vous faites en réponse à l'inquiétude pourrait donc être considéré comme un comportement inquiet.

- Vous continuez à adopter des comportements inquiets car, lorsque vous agissez ainsi, vous ressentez un soulagement temporaire. Toutefois, à long terme, ces comportements nourrissent votre inquiétude. Ils valident vos craintes et vous empêchent de découvrir que l'objet de vos préoccupations ne se réalisera probablement pas, même sans vos comportements inquiets.

- Faire le suivi de vos réponses face à l'inquiétude vous aidera à déterminer votre propre faisceau de comportements inquiets.

- Éliminer définitivement les comportements inquiets est une étape clé dans le combat contre l'inquiétude. En répétant ces comportements, même sporadiquement, vous ne réussirez qu'à maintenir votre inquiétude.

- Une fois que vous aurez éliminé un comportement inquiet, vous pourrez alors combler votre temps libre supplémentaire en planifiant des activités qui vous donneront un sentiment de plaisir ou de maîtrise de la situation. Accordez une attention toute particulière aux moments où vous vous inquiétez et où vous adoptez des comportements inquiets, et comblez-les par des tâches productives ou des activités agréables.

Chapitre

Accepter l'incertitude

La plupart des solutions décrites dans ce livre consistent en des étapes claires et précises visant à réduire l'inquiétude. Toutefois, le présent chapitre est en soi quelque peu différent; au lieu de vous suggérer une action claire qui jugule directement l'inquiétude, nous vous demanderons ici d'évaluer et de modifier votre philosophie sur un élément clé de l'inquiétude: l'incertitude. Nous allons donc décrire le rôle que joue l'incertitude dans l'inquiétude et vous expliquer en quoi l'intolérance à l'incertitude est au cœur même de l'inquiétude. Nous allons également discuter des principaux facteurs qui interagissent avec l'intolérance à l'incertitude et qui mènent indirectement au maintien et à l'escalade de l'inquiétude. Puis nous décrirons les techniques à appliquer pour vous attaquer à ces facteurs, de façon à ce que vous puissiez réduire l'inquiétude dans votre vie tout en apprenant à accepter l'incertitude.

Qu'est-ce que l'incertitude ?

Qu'entendons-nous par « incertitude » ? L'incertitude est la situation qui existe lorsque le résultat de quelque chose n'est pas clair. Si vous y réfléchissez, vous verrez que cela signifie en fait toutes les facettes de la vie. Car, au fond tout ce que vous affrontez sur une base quotidienne est incertain. Prenez une activité toute simple comme manger. Comment pouvez-vous savoir – *savoir sans l'ombre d'un doute* – que vous ne mourrez pas d'étouffement à la prochaine bouchée ? Bien entendu, vous n'en savez rien. Mais cependant vous mangez encore. Comment savez-vous que, la prochaine fois que vous prendrez une douche, vous ne glisserez pas et ne vous blesserez pas gravement à la tête ? Vous n'en avez aucune certitude et pourtant vous continuez à prendre des douches. Comment savez-vous que, lorsque vous sortirez demain matin, la gravité existera encore ? Vous ne pouvez le savoir avec certitude, mais vous continuez néanmoins à quitter la maison chaque matin sans emporter de combinaison spatiale. Vivre avec l'incertitude est donc un état qui vous accompagne minute après minute pendant toute votre vie.

Ainsi l'incertitude en elle-même n'est pas la véritable question au cœur de l'inquiétude. Le problème vient du fait que vous avez sélectionné des domaines précis – votre santé, vos relations avec les autres ou le travail par exemple – pour lesquels vous *exigez* des certitudes. Vous sentez qu'il vous faut savoir comment les choses vont tourner. Le hic, c'est que vous ne le pouvez pas. Personne ne possède de boule de cristal. Pourriez-vous être congédié ? Bien sûr. Pourriez-vous mourir d'une maladie rare ? Ça arrive. L'incertitude en soi n'est donc pas le problème, car nous vivons tous chaque jour avec ces possibilités. Alors, quel est cet élément dans l'incertitude qui mène à l'inquiétude ?

L'inquiétude et l'intolérance à l'incertitude

Les chercheurs qui œuvrent à éclaircir le rôle que joue l'incertitude dans l'inquiétude ont reconnu *l'intolérance à l'incertitude* comme une composante clé de l'inquiétude ; ils vont jusqu'à suggérer que cette intolérance pourrait être un facteur causal du risque de l'inquiétude (Ladouceur, Gosselin et Dugas, 2000). Qu'est-ce que l'intolérance à l'incertitude ? Elle peut être définie comme la tendance à réagir négativement – sur les plans émotionnel, cognitif et comportemental – à des situations et à des événements incertains (Dugas, Buhr et Ladouceur, 2004). Dugas et ses collègues ont noté que l'intolérance élevée à l'incertitude mène les personnes à s'inquiéter davantage face à des situations ambiguës, et que les personnes inquiètes sont plus susceptibles de percevoir les situations floues comme étant menaçantes (Dugas *et al.*, 2005).

Étonnamment, ce groupe a également constaté que certains préféreraient une issue négative connue à l'incertitude. Cela peut sembler difficile à croire, mais nous avons constaté le même phénomène dans nos pratiques. Un patient a même juré qu'il préférerait mourir demain plutôt que de vivre dans l'incertitude quant à l'efficacité du traitement de son problème médical. Ces solides croyances quant à la nécessité d'une certitude sont tout à fait évidentes chez un grand nombre de nos clients inquiets : « Et si l'électricité venait à manquer pendant le dîner que je donne demain ? » La probabilité est faible, mais cette peur demeure un sujet de préoccupation, car en effet une panne *pourrait* se produire. Aujourd'hui ma situation financière est satisfaisante, mais qu'arriverait-il si je perdais mon emploi ? Les choses vont bien, mais cela *pourrait* changer.

Les gens qui souffrent d'inquiétude – et qui ont donc besoin de certitude – supposent généralement que les résultats incertains seront nécessairement mauvais. Pour les personnes inquiètes, c'est comme s'il n'y avait pas de surprises positives dans la vie. Citons l'exemple d'un patient très anxieux, qui attendait les résultats d'une biopsie faite sur son chien. Naturellement, au cours de l'attente, le résultat est par nature incertain. Ce patient était néanmoins absolument convaincu que les résultats des analyses se traduiraient par de mauvaises nouvelles. C'était comme s'il n'y avait qu'une seule possibilité – à le voir, on aurait dit qu'il était « certain » que son chien était en phase terminale. Lorsqu'on a soulevé la possibilité d'un résultat d'analyse bénin, il eut l'air perplexe. C'était comme s'il n'avait jamais même considéré cette possibilité.

En substance, les personnes inquiètes voient l'incertitude comme une chose négative qu'il faut éviter à tout prix. Comme nous l'avons mentionné plus haut, le problème, c'est que l'incertitude est partout. Comment éviter alors un état qui fait partie intégrante de la vie ?

L'incertitude n'est-elle pas une mauvaise chose ?

À ce stade, vous pouvez penser que l'incertitude *est* une mauvaise chose que vous ne devriez pas tolérer. Peut-être croyez-vous que rechercher la certitude, en toute situation, est toujours une bonne chose. Mais ce n'est pas le cas. Léa, une patiente, nous a livré un bon exemple des inconvénients que cache la certitude.

Elle nous a raconté une anecdote qui s'était passée à Noël lorsqu'elle était enfant. Elle et sa sœur aînée s'étaient faufilées dans la penderie de la chambre de leurs parents pour y trouver les cadeaux cachés. Elles déballèrent donc avec précaution chacun des présents pour voir ce qu'ils contenaient, puis les remballèrent tous. Le matin de Noël, elles savaient exactement ce que tous les présents contenaient avant même de les ouvrir. Or, tout ce que Léa ressentit ce matin-là était culpabilité et tristesse – culpabilité pour avoir trahi la confiance de ses parents et tristesse pour s'être imposée ainsi un Noël sans surprises.

Supposons que vous connaissiez de manière certaine toutes les choses positives que vous réserve l'avenir. Cela n'atténuerait-il pas quelque peu votre richesse intérieure et votre joie ? Supposons que vous connaissiez à l'avance et de manière certaine toutes les choses négatives qui surviendront. Cette connaissance les empêchera-t-elle d'arriver ? Accepteriez-vous un rendez-vous avec votre premier amour sachant que vous finirez par rompre ? Gratteriez-vous un billet de loterie avec la certitude que vous ne gagnerez pas ? Iriez-vous applaudir l'équipe de football de votre ville tout en sachant pertinemment qu'elle perdra la partie à la dernière seconde ?

C'est l'incertitude – l'excitation de *ne pas* savoir – qui nous permet de nous laisser prendre par la vie et d'en ressentir tout le charme, l'excitation, la joie et l'émerveillement. Lorsque nous abandonnons le besoin de savoir, la vie devient vibrante, et, oui... un peu risquée. Mais sans une certaine incertitude, la vie est terne et ennuyeuse – comme le fait de savoir ce que contient un cadeau avant même de l'ouvrir. Une vie sans incertitude ne nous laisserait plus aucune possibilité de surprises agréables ; et les résultats négatifs connus à l'avance élimineraient le désir de prendre des risques.

Comment aborder votre intolérance à l'incertitude

Puisque l'incertitude est présente dans tout ce que nous entreprenons, le but n'est donc pas de l'éliminer, mais de la reconnaître et de l'accepter comme un élément inévitable de la vie. On ne peut pas se débarrasser des situations incertaines, mais on peut élaborer des stratégies d'adaptation pour y faire face. Des études ont montré que des interventions cognitivo-comportementales, similaires à celles décrites dans ce livre, sont parvenues à améliorer la tolérance à l'incertitude et à réduire l'inquiétude des personnes (Ladouceur et Dugas, 2000). Mais pour cibler l'intolérance à l'incertitude, il faut s'attaquer aux principales variables qui interagissent avec elle pour produire et maintenir l'inquiétude, telles qu'elles sont énoncées ci-dessous :

- Les croyances positives erronées sur l'inquiétude
- L'évitement cognitif
- L'orientation négative au problème

Dans les sections qui suivent, nous allons décrire des techniques qui vous aideront à aborder ces facteurs liés à l'incertitude. Nous allons aussi vous aider à reconnaître les types d'inquiétude et les stratégies qui fonctionnent le mieux.

RECONNAÎTRE LE TYPE D'INQUIÉTUDE

Comme nous l'avons mentionné précédemment, l'inquiétude peut effectivement jouer un rôle utile – nous parlons ici d'un certain type d'inquiétude. L'inquiétude productive nous conduit à prendre des décisions, à opérer des changements dans notre vie, à mieux nous préparer pour accomplir des tâches ou faire face à des situations. Malheureusement, beaucoup de nos inquiétudes ont tendance à être orientées vers des événements à venir et sont donc improductives. Une inquiétude improductive est centrée sur des situations que nous ne pouvons pas maîtriser et sur des problèmes qui n'existent même pas au fond ou qui peuvent ne jamais se produire. Il est souvent difficile pour les personnes qui s'inquiètent de faire la différence, de telle sorte quc toutes les inquiétudes leur semblent importantes, probables et nécessaires.

Comme vous le savez, on peut distinguer l'inquiétude productive de l'inquiétude improductive en considérant des questions telles que le calendrier (le temps présent par rapport au futur), la plausibilité et la possibilité qu'une action immédiate se produise

(Leahy, 2004). Pourquoi est-ce donc si important d'apprendre à reconnaître la différence entre les comportements productifs et improductifs? Parce que les stratégies que vous utiliserez pour contrer l'inquiétude, liée à des problèmes actuels et plausibles, seront différentes de celles que vous utiliserez pour faire face à l'inquiétude liée à des événements improbables, qui pourraient se produire dans le futur.

Exercice : reconnaître les types d'inquiétude

Exercez-vous à faire la distinction entre l'inquiétude productive et l'inquiétude improductive à l'aide des exemples énumérés ci-dessous. Lesquelles sont productives? Lesquelles sont improductives? Rappelons que les inquiétudes productives sont celles qui sont réalistes, actuelles et maîtrisables; tandis que les inquiétudes improductives ne sont pas réalistes et sont tournées vers le futur sans que vous ne puissiez rien y changer.

Si je n'étais pas prêt pour ma présentation de la semaine prochaine?

❑ Situation réaliste, actuelle, maîtrisable

❑ Situation non réaliste, tournée vers le futur, non maîtrisable

Si j'avais le cancer du cerveau et si j'en mourais?

❑ Situation réaliste, actuelle, maîtrisable

❑ Situation non réaliste, tournée vers le futur, non maîtrisable

Si l'avion que je vais prendre s'écrasait ?

❑ Situation réaliste, actuelle, maîtrisable

❑ Situation non réaliste, tournée vers le futur, non maîtrisable

Si j'échouais à mon examen ?

❑ Situation réaliste, actuelle,maîtrisable

❑ Situation non réaliste, tournée vers le futur, non maîtrisable

Si ma fille avait la grippe aviaire ?

❑ Situation réaliste, actuelle, maîtrisable

❑ Situation non réaliste, tournée vers le futur, non maîtrisable

Si mon conjoint mourait dans un accident de voiture ?

❑ Situation réaliste, actuelle, maîtrisable

❑ Situation non réaliste, tournée vers le futur, non maîtrisable

Si ma voiture tombait en panne ?

❑ Situation réaliste, actuelle, maîtrisable

- ❑ Situation non réaliste, tournée vers le futur, non maîtrisable

Si je ne trouvais rien d'intéressant à dire au cours de cette fête?

- ❑ Situation réaliste, actuelle, maîtrisable

- ❑ Situation non réaliste, tournée vers le futur, non maîtrisable

Comment vous en êtes-vous tiré? Avez-vous été en mesure de distinguer les pensées ayant trait à des situations actuelles et plausibles de celles qui sont irréalistes et orientées vers le futur? Si vous avez eu de la difficulté à le faire, réfléchissez à ces questions… La chose est-elle susceptible de se produire? Y a-t-il des solutions possibles à ce problème? Y a-t-il quelque chose que vous pourriez faire à ce sujet aujourd'hui pour amener un changement? Qu'en est-il de la semaine prochaine? Si la réponse à ces questions est non, il s'agit probablement d'une inquiétude improductive ou tournée vers le futur. Dans l'exercice ci-dessus, les préoccupations liées au cancer du cerveau, à un accident d'avion, à la perte d'un époux dans un accident de voiture et à la grippe aviaire sont des exemples d'inquiétudes improductives, orientées vers le futur et liées à des situations non maîtrisables.

RÉÉVALUER VOS CROYANCES POSITIVES SUR L'INQUIÉTUDE

Maintenant que vous vous êtes exercé à faire la distinction entre l'inquiétude productive liée à des situations actuelles et l'inquiétude improductive liée à des situations improbables et orientées vers le futur, il est temps de vous préoccuper de vos croyances quant à vos propres inquiétudes. Si vous êtes comme les autres personnes qui s'inquiètent, vous entretenez une relation d'amour-haine avec votre inquiétude. Certes, vous pouvez détester l'angoisse et le stress que cela vous cause, mais vous pouvez aussi nourrir plusieurs croyances positives à son égard (Wells, 1999). Voici quelques croyances positives courante :

- **L'inquiétude m'aide à trouver des solutions à mes problèmes.** Si vous entretenez cette conviction, vous vous demandez peut-être : « Comment puis-je être préparé à faire face à d'éventuels problèmes si je ne considère pas toutes les possibilités ? »

- **L'inquiétude me motive à faire des choses.** Cette conviction s'exprime souvent ainsi : « Si je ne m'inquiétais pas des choses que j'ai à faire, elles ne seraient jamais faites. »

- **L'inquiétude me protège des émotions négatives.** Un patient a fidèlement résumé l'essence de cette conviction dans cette simple phrase : « Je préfère m'inquiéter maintenant que d'être pris par surprise quand l'événement se produira. »

- **L'inquiétude empêche les résultats négatifs.** Vous pourriez croire, par exemple : « Si je ne m'inquiète pas de tomber malade, quelque chose de mauvais pourrait se produire. »

- **L'inquiétude signifie que je suis une personne responsable et consciencieuse.** À titre d'exemple, on peut exprimer cette conviction en se posant la question suivante : « Quelle sorte de personne serais-je si je ne m'inquiétais pas pour mes enfants ? »

Mais qu'est-ce que cela a à voir avec l'incertitude? Certains chercheurs ont émis l'hypothèse que l'intolérance à l'incertitude contribue effectivement à l'émergence de ces croyances positives dans le processus de renforcement (Dugas, Buhr et Ladouceur, 2004).

Si par exemple vous êtes intolérant à l'incertitude, vous pouvez avoir acquis la conviction que l'inquiétude vous protégera des émotions négatives dans le futur. En d'autres termes, si vous vous inquiétez «à l'avance», vous ne serez jamais déçu ou étonné lorsque quelque chose de mauvais se produira. Cette croyance vous encourage à vous inquiéter; elle entretient votre intolérance à l'incertitude en vous empêchant de prendre conscience que vous pourriez faire face aux surprises indésirables sans préparation préalable.

Exercice : mettez à l'épreuve vos croyances sur l'inquiétude

Utilisez les questions suivantes pour vous aider à mettre à l'épreuve vos croyances positives au sujet de l'inquiétude. En remettant en question ces croyances, vous aurez de la sorte plus de facilité à abandonner votre inquiétude et, en fin de compte, à calmer votre besoin de certitude :

- Suis-je plus apte à résoudre des problèmes en raison de mon inquiétude ? Quelles preuves ai-je concernant cette idée ?
- Y a-t-il des moments où j'ai affronté efficacement une crise inattendue, même si je ne m'en étais pas inquiété à l'avance ?
- Est-ce que je me concentre mieux ou moins bien lorsque je suis anxieux et inquiet ? Cela m'aide-t-il à trouver des solutions à mes problèmes ? Cela améliore-t-il ma productivité ?

- Mon inquiétude m'empêche-t-elle parfois d'aller de l'avant dans un projet ou une tâche donnée, parce que je suis trop accablé ou anxieux à l'idée de commencer ?

- Les mauvaises choses qui sont survenues dans le passé m'ont-elles malgré tout rendu triste, apeuré ou en colère, même si je m'en étais inquiété au préalable ?

- De bonnes choses sont-elles tombées du ciel, même si je n'y avais pas pensé ou ne les avais pas planifiées ? De mauvaises choses se sont-elles produites, même si je m'en étais inquiété à l'avance ?

- Ai-je des amis ou des membres de ma famille qui s'inquiètent moins que moi ? Cela veut-il dire qu'ils sont indifférents ou froids ?

Inscrivez les réponses à ces questions dans votre cahier. Revoyez-les chaque fois que vous trouvez qu'il est difficile de rejeter vos inquiétudes ou quand vous sentez que votre inquiétude improductive est effectivement utile.

ATTENTION À L'ÉVITEMENT COGNITIF

L'évitement cognitif est une autre variable qui interagit avec l'intolérance à l'incertitude pour créer de l'inquiétude (Dugas, Buhr et Ladouceur, 2004). Les gens qui ont de la difficulté à tolérer l'incertitude peuvent utiliser l'inquiétude pour tenter d'anticiper les résultats négatifs. Parce qu'ils ont tendance à le faire à l'aide de pensées verbales plutôt que de pensées imagées (Borkovec et Inz, 1990), cela devient aussi pour eux un moyen d'éviter les images mentales menaçantes, annonciatrices de redoutables catastrophes.

De cette façon, l'inquiétude permet d'éviter ces images pénibles d'un futur incertain ou d'une catastrophe redoutée. Mais l'évitement a aussi tendance à renforcer les pensées catastrophistes en grossissant leur importance et en sapant votre confiance dans votre capacité à tolérer l'issue incertaine des choses pour lesquelles vous vous inquiétez. Comme vous ne pouvez pas agir sur des problèmes orientés vers le futur en utilisant vos capacités à résoudre les problèmes – en effet, vous ne pouvez pas corriger ce qui ne s'est pas encore produit – , ces problèmes seront mieux traités au moyen d'une méthode appelée *l'exposition à l'inquiétude*. Nous examinerons cette stratégie plus en détail au chapitre 9.

VAINCRE L'ORIENTATION NÉGATIVE AU PROBLÈME

Le dernier facteur qui interagit avec l'intolérance à l'incertitude pour créer de l'inquiétude est l'orientation négative au problème. Bien que la capacité à résoudre des problèmes soit intacte chez les personnes qui s'inquiètent, celles-ci ont tendance à éprouver des difficultés à *appliquer* cette compétence. *L'orientation au problème* fait référence à votre façon de penser et à ce que vous ressentez face à vos problèmes, ainsi que la manière dont vous évaluez vos aptitudes à résoudre les problèmes. Les chercheurs ont constaté que l'orientation négative au problème est clairement associée à l'inquiétude (Dugas et Ladouceur, 2000).

L'issue de tout problème étant incertaine par nature, il est facile de voir comment les personnes inquiètes, qui ont du mal à tolérer l'incertitude, ont tendance à se concentrer sur ces aspects incertains plutôt que sur les solutions. Cependant, bien que certains chercheurs aient constaté que les patients atteints d'anxiété généralisée ont moins confiance en leur capacité de résoudre les problèmes que les personnes non inquiètes (Dugas *et al.*, 1998), il n'y a pas de différence dans leur capacité respective à résoudre des problèmes; ce qui en soi est une bonne nouvelle. Vous *pouvez* utiliser vos compétences à résoudre des problèmes en réponse à vos inquiétudes productives.

Exercice : utilisez vos aptitudes à résoudre des problèmes

Choisissez dans votre cahier une inquiétude qui correspond, selon vous, aux critères d'une inquiétude productive – concernant une situation plausible, courante et qui peut être résolue. Faites-lui maintenant subir les étapes suivantes :

1. Définissez les principaux éléments du problème. Soyez aussi précis que possible. Assurez-vous également de mentionner les aspects que vous souhaiteriez voir changer.

2. Inscrivez toutes les solutions qui vous viennent à l'esprit. Incluez toutes les options possibles, peu importe si elles vous semblent incongrues.

3. Choisissez à présent la solution qui, selon vous, a les meilleures chances de succès et qui vous semble la plus réaliste.

4. Décomposez cette solution en petites étapes nécessaires à l'atteinte de l'objectif.

5. Faites-le maintenant.

Vous trouverez peut-être que ce processus est fastidieux et difficile au début. Mais avec un peu d'entraînement, vous serez en mesure de mettre en œuvre ce processus avec beaucoup plus d'efficacité. De plus, vous allez développer avec le temps une confiance accrue dans votre capacité à vous servir de vos aptitudes à résoudre des problèmes; vous pourrez même vous rendre compte que vous êtes déjà en mesure de rayer certaines inquiétudes de votre liste.

APPRENDRE À TOLÉRER L'INCERTITUDE

Il est temps maintenant de mettre en pratique tout ce que vous avez appris dans ce chapitre et d'utiliser une technique pour vous aider à expérimenter pleinement l'incertitude de la vie. Utilisez les énoncés ci-dessous pour réagir à la pensée « s'il arrivait que » :

- ❖ Je ne le saurai jamais avec certitude.
- ❖ Peut-être que cela arrivera, peut-être que cela n'arrivera pas.
- ❖ Je ne peux pas prédire l'avenir.
- ❖ Je ferai face aux événements lorsqu'ils se présenteront.
- ❖ Le risque fait partie de la vie… qui ne risque rien n'a rien.
- ❖ Je ne peux pas être absolument certain d'une manière ou d'une autre.
- ❖ Tout est possible.

La prochaine fois que vous ferez face à une question de l'ordre de « s'il arrivait que », résistez à la tentation d'y répondre. Résistez à l'envie de rechercher la certitude face à l'inconnu ; au lieu de cela, acceptez la réalité – c'est-à-dire acceptez de ne pas être absolument sûr. Permettez à l'incertitude de prendre place dans votre esprit et acceptez que le doute soit inhérent à la vie.

Points importants

- ❖ L'intolérance à l'incertitude joue un rôle clé dans l'inquiétude.

- ❖ Des variables telles que les croyances positives au sujet de l'inquiétude, l'évitement cognitif et l'orientation négative au problème peuvent interagir avec l'intolérance à l'incertitude pour produire et conforter l'inquiétude.

- ❖ Nombre de personnes inquiètes ont des croyances positives au sujet de leur inquiétude. C'est en affrontant ces croyances qu'elles peuvent réduire leur inquiétude.

- ❖ L'exposition est le meilleur moyen de traiter les inquiétudes orientées vers le futur ou non productives.

- ❖ Les personnes inquiètes ont moins confiance que les personnes non inquiètes en leur capacité à résoudre des problèmes. Elles ont aussi plus de difficultés à appliquer leurs compétences, bien que leur capacité à résoudre les problèmes soit intacte.

- Vous pouvez contrer votre inquiétude, concernant des situations actuelles et plausibles, en vous servant de vos aptitudes à résoudre des problèmes.

- Examinez le rôle que joue l'incertitude dans votre vie et mettez en pratique votre capacité à accepter et à expérimenter l'incertitude.

Chapitre

Gérer son temps

Il nous arrive à tous de sentir que nous avons trop de tâches et pas assez de temps pour les accomplir. Toutefois, en l'absence de compétences efficaces de gestion du temps, les obligations et les devoirs deviennent souvent écrasants. Une mauvaise utilisation du temps peut ainsi provoquer des frustrations, des tergiversations, du stress, de l'inquiétude et une baisse de productivité. Remémorez-vous, au cours du dernier mois, la fois où vous étiez pressé d'en finir avec un projet ou une tâche. Y a-t-il eu des moments où vous n'avez pas fait quelque chose d'important parce que vous n'avez pas pu trouver le temps de le faire ?

La bonne nouvelle est que vous pouvez apprendre à gérer efficacement votre temps… même si cela vous semble irréalisable. Et cela entraînera des répercussions positives sur votre sentiment d'inquiétude. En effet, la recherche a amplement démontré que le renforcement des compétences en gestion du temps diminue l'évitement, la procrastination et l'inquiétude (Van Eerde, 2003). De la sorte, en améliorant votre gestion du temps, vous disposerez d'*assez de temps* pour terminer votre travail, atteindre vos objectifs et faire ce que vous voulez. Dans ce chapitre, nous vous montrerons comment mieux gérer votre temps – et conséquemment comment diminuer votre inquiétude.

La gestion efficace du temps

Nous décrirons ci-dessous une approche de gestion efficace du temps. Cette stratégie se décompose en quatre étapes :

1. Développer votre notion du temps

2. Analyser votre utilisation du temps

3. Planifier votre temps

4. Évaluer votre plan

PREMIÈRE ÉTAPE : DÉVELOPPER VOTRE NOTION DU TEMPS

La plupart des gens pensent qu'ils maîtrisent leur utilisation du temps, mais ils ne sont pas conscients du temps perdu à accomplir des tâches inutiles ou improductives. Avant de pouvoir améliorer la façon dont vous utilisez votre temps, examinez tout d'abord ce que vous en faites aujourd'hui en utilisant les étapes suivantes :

1. Dans la partie supérieure d'une nouvelle page de votre cahier, inscrivez le jour et la date de demain. Dans la partie gauche de la page, divisez la journée (commençant à 6 heures) en tranches de 15 minutes. Assurez-vous d'inclure les 24 heures de la journée. Faites de même pour chaque jour de la semaine à venir.

2. Vous êtes maintenant prêt à consigner votre utilisation du temps. Au cours de la semaine à venir, suivez de près vos activités. Cet exercice vous donnera une idée détaillée des choses auxquelles vous consacrez votre temps ; il vous indiquera aussi les ajustements qui pourraient vous être utiles. Assurez-vous d'enregistrer soigneusement le temps que vous passez à dormir, à manger, à vous déplacer, à regarder la télévision et à faire des courses. Indiquez autant de détails que possible. Conservez votre cahier sur vous et notez vos activités dès que vous les avez terminées. Ne comptez pas sur votre mémoire et n'attendez pas la fin de la journée pour les consigner par écrit. Pour que cet exercice soit utile, vous aurez besoin d'un tableau précis de votre emploi du temps.

3. Vous pourriez avoir le sentiment que vous n'avez pas besoin de faire tout cela parce que vous savez déjà très bien à quoi vous passez votre temps. À titre d'expérience, notez cependant votre estimation de la quantité de temps passé à accomplir chacune des activités énumérées ci-dessus au cours de la semaine prochaine. Puis calculez précisément votre emploi du temps pendant au moins quelques jours; comparez ensuite et vous constaterez ainsi à quel point vos suppositions de départ étaient exactes. Généralement, nos patients se rendent compte qu'ils n'étaient pas très précis dans leurs estimations. En fait, ils sont souvent étonnés de la quantité de temps passé à se déplacer ou regarder la télévision.

Vous semble-t-il fastidieux de maintenir un suivi aussi assidu de votre emploi du temps? Avez-vous l'impression que vous n'aurez pas le temps voulu pour faire tout cela? Gardez bien présent à l'esprit que ce n'est que temporaire. Vous n'aurez pas à faire cet exercice pour le restant de vos jours... mais juste durant une semaine! Et en y consacrant un peu de temps aujourd'hui, vous en gagnerez beaucoup demain. Considérez cela comme un investissement dans votre démarche pour atténuer votre inquiétude et votre stress et aussi comme une étape préliminaire cruciale pour mieux maîtriser votre emploi du temps.

DEUXIÈME ÉTAPE : ANALYSER VOTRE UTILISATION DU TEMPS

Avez-vous bien consigné vos activités de la semaine? Si ce n'est pas le cas, faites-le avant d'aller plus loin; il s'agit là d'une étape essentielle pour une gestion améliorée de votre temps. En effet, seul un suivi assidu vous permettra de comprendre vraiment comment votre temps a été ventilé entre vos diverses activités. Une fois toutes vos activités répertoriées, analysez votre utilisation du temps en franchissant les étapes suivantes :

1. Examinez les activités que vous avez notées au cours de la dernière semaine. Pouvez-vous les regrouper en catégories ? Si oui, inscrivez ces catégories dans une colonne sur le côté gauche d'une nouvelle page de votre cahier. Voici des activités possibles : dormir, manger, travailler, lire, regarder la télévision, faire des courses, parler au téléphone, faire sa toilette ou se consacrer à son hygiène, cuisiner, s'occuper des enfants, accomplir des tâches ménagères, se déplacer et se divertir. Utilisez ces catégories comme points de départ, puis ajoutez à cette liste tout ce qui vous convient.

2. À présent, sur le côté droit de la page, comptabilisez le temps investi dans les activités de chacune des catégories durant la dernière semaine. Assurez-vous de bien tenir compte des 168 heures de la semaine.

3. Quelque chose vous a-t-il surpris ? Avez-vous passé plus de temps dans une catégorie donnée que ce que vous aviez prévu ? Y a-t-il un engagement de plus que vous auriez aimé tenir ? Y a-t-il une activité dont vous auriez pu vous passer ? Avez-vous accompli des tâches inutiles ? Y a-t-il une activité spécifique que vous auriez pu ne pas faire ou alors déléguer à quelqu'un d'autre ? Avez-vous remarqué des catégories sur lesquelles vous auriez souhaité passer plus de temps ? Y a-t-il des activités que vous auriez voulu faire, mais n'avez pas faites ? Notez toutes vos réponses à ces questions dans votre cahier.

Andréa a utilisé avec succès cette technique pour réduire son inquiétude. Cette femme d'affaires, à l'horaire toujours très chargé, se plaignait de son incapacité foncière à gérer son temps de manière efficace. Pendant la journée, elle se sentait souvent anxieuse et débordée par le nombre de tâches qu'elle devait accomplir. Afin d'améliorer ses compétences en gestion du temps et mieux maîtriser son inquiétude, Andréa a fait le suivi de ses activités pendant une semaine. Elle a ensuite comptabilisé le temps passé sur chaque type d'activités. Elle a découvert alors que de nombreuses tâches lui demandaient beaucoup plus de temps que nécessaire. Cette découverte l'a convaincue qu'elle pouvait gérer son temps de manière bien plus efficace. En suivant les deux étapes décrites ci-dessous, Andrea a rattrapé le temps perdu et a réévalué ses priorités. Ainsi elle a réussi à consacrer plus de temps aux choses qui lui tenaient vraiment à cœur. Ces nouvelles compétences ont contribué à réduire considérablement son inquiétude.

TROISIÈME ÉTAPE : PLANIFIER VOTRE TEMPS

L'étape suivante consiste à établir une planification optimale de votre temps. Pour ce faire, épluchez vos réponses aux questions dans la deuxième étape, puis examinez bien ces réponses pour planifier au mieux votre prochaine semaine. Avez-vous utilisé votre temps d'une manière compatible avec vos objectifs ou vos priorités ? Si vous constatez que vous avez passé beaucoup trop de temps à des activités inutiles, alors que d'autres tâches importantes n'ont pas été menées à terme, la stratégie suivante pourrait vous aider. Utilisez les étapes ci-dessous pour déterminer la meilleure façon d'occuper votre temps :

1. Dans votre cahier, établissez un calendrier vierge similaire à celui que vous avez utilisé pour enregistrer vos activités hebdomadaires.

2. Divisez les jours en périodes de quinze minutes. Puis remplissez les cases correspondantes en y inscrivant tous vos rendez-vous, vos réunions ou autres activités qui ont une heure de début et de fin précise.

3. Notez ensuite les heures passées à dormir, à manger, à vous déplacer et à accomplir toute autre tâche quotidienne, comme prendre votre douche ou vous maquiller. Soyez réaliste quant à la durée de ces activités.

4. Utilisez les fenêtres de temps disponibles pour les tâches ou les objectifs facultatifs, qui peuvent varier au jour le jour. Étant donné que ces tâches sont facultatives, vous devez les classer par ordre de priorité, de façon à ce que les choses importantes et urgentes soient faites en temps voulu et que celles de moindre importance n'interfèrent pas dans ce processus.

Pour établir vos priorités de manière efficace, dressez tout d'abord une liste des activités que vous voulez mener à bien. Vous pouvez prolonger cette liste au fur et à mesure que surviennent de nouveaux objectifs ou de nouvelles obligations. Pensez à chacune des tâches mentionnées sur votre liste et déterminez si elle appartient à l'une ou l'autre des trois catégories suivantes :

❖ **Haute priorité :** extrêmement important et à faire absolument aujourd'hui

- **Moyenne priorité :** très important, mais pas forcément à faire aujourd'hui

- **Faible priorité :** important et à faire, mais pas tout de suite

Si certaines tâches n'entrent pas dans ces catégories – si elles ne sont ni importantes ni nécessaires – envisagez de les rayer complètement de votre liste. Ou alors demandez-vous plutôt si l'une ou l'autre pourraient être déléguées à un collègue ou à un membre de votre famille. Si oui, déléguez ! Pour celles qui restent, mentionnez à côté de chacune d'entre elles si la tâche est à haute, moyenne ou faible priorité. À présent, examinez votre emploi du temps pour la semaine ; isolez les tâches à haute priorité de votre liste principale et affectez-les dans les créneaux libres de votre agenda. S'il vous reste du temps libre, faites la même chose avec vos tâches à priorité moyenne. Programmez les tâches à faible priorité seulement s'il vous reste du temps après avoir programmé les tâches à haute et moyenne priorité.

CONSEILS POUR ORGANISER EFFICACEMENT VOTRE EMPLOI DU TEMPS

Lorsque vous vous entraînez à programmer votre emploi du temps de manière plus productive, vous pouvez rencontrer un certain nombre de problèmes. Voici quelques conseils supplémentaires pour vous assurer que votre planification est aussi efficace que possible :

- Soyez réaliste dans l'estimation du temps que vous prendra chaque activité. En cas de doute, allouez du temps supplémentaire.

- Allouez du temps entre les tâches, de sorte que vous n'ayez pas à vous précipiter de l'une à l'autre. Faites une pause pour vous détendre et réfléchir pendant quelques minutes après avoir terminé une activité.

- Allouez du temps de déplacement et planifiez toujours le scénario le plus probable. Évitez de prévoir seulement le temps qu'il vous faut pour vous rendre à un point précis dans des conditions idéales de météo ou de circulation.

- Gardez une certaine flexibilité dans votre emploi du temps pour les urgences ou les tâches imprévues hautement prioritaires.

- Autant que possible, terminez une activité avant de passer à la suivante. Abandonner de nombreuses tâches partiellement achevées contribue à votre inquiétude tout en interférant avec votre productivité à long terme.

- Déterminez des heures précises pour commencer à accomplir votre tâche et pour la terminer. Il se trouvera toujours des projets qui vous prendront tout votre temps disponible. En respectant des heures clairement établies, votre motivation augmentera, de même que votre concentration et votre efficacité.

- N'oubliez pas de prévoir du temps... juste pour vous ! Rappelez-vous qu'il est important de garder de la place pour les pauses, les loisirs ou les passe-temps. Accordez-vous un peu de temps libre ; vous serez ainsi bien plus productif à long terme.

QUATRIÈME ÉTAPE :
ÉVALUER VOTRE PLAN

Afin de bien évaluer votre plan, vous devez prendre des notes. Vous constaterez de la sorte si vous vous en tenez ou pas à ce qui était prévu. Pendant une semaine ou deux, ajoutez une colonne supplémentaire à la droite de vos activités prévues pour y noter comment vous avez effectivement occupé votre temps. Jusqu'à quel point avez-vous respecté votre horaire ? Avez-vous rempli vos tâches prioritaires ? Si oui, bravo ! Prenez alors le temps de vous féliciter – vous venez de franchir un grand pas pour réduire votre inquiétude. Si vous n'avez pas mené à terme des tâches importantes, demandez-vous pourquoi. Quelles circonstances vous ont empêché de vous en tenir à votre plan ? Vous êtes-vous engagé dans des tâches inutiles ? Avez-vous négligé des tâches importantes ? Si c'est le cas, la section suivante vous sera sans aucun doute utile.

Dompter la procrastination

La procrastination est un piège dans lequel nous tombons tous un jour ou l'autre. En effet, la procrastination est l'un des problèmes les plus courants dont se plaignent nos patients. Qui n'a jamais remis à plus tard une tâche ou un projet déplaisant pour s'adonner momentanément à une activité plus attrayante ? Qui n'a jamais repoussé jusqu'à la dernière minute la préparation d'une réunion ou d'un examen ? Nous le faisons parce que cela fonctionne, du moins sur le court terme : cela nous permet d'éviter de faire quelque chose de désagréable ou qui provoque de l'anxiété. Cependant, la procrastination a un coût ! Des études ont démontré qu'elle est en fait associée à une augmentation de l'inquiétude (Stöber et Joorman, 2001). Ainsi, lorsque vous remettez les choses à plus tard, vous vous causez plus de désagrément et de stress, à long terme, que si vous les faisiez en temps voulu.

POURQUOI LES GENS REMETTENT-ILS LES CHOSES À PLUS TARD?

Les gens remettent les choses à plus tard pour de nombreuses raisons. Examinez votre emploi du temps au cours de la dernière semaine et constatez s'il n'y a pas d'activités que vous avez remises à plus tard ou des tâches nécessaires que vous avez évitées, et qui exigeaient pourtant votre attention immédiate. Lisez la liste suivante attentivement pour déterminer si l'une ou l'autre de ces raisons de tergiverser s'appliquent à votre cas:

Crainte de l'échec: parfois, les gens repoussent les tâches à plus tard par crainte d'un éventuel échec. Dans leur esprit, ne pas finir un projet ou ne pas accomplir un travail peu intéressant en raison d'un manque de temps est moins pénible que d'échouer après y avoir investi le plein effort.

Perfectionnisme: les gens peuvent se fixer des normes pour accomplir une tâche qui sont tout simplement trop élevées. Le sentiment qu'une tâche ou un projet doit être exécuté à la perfection peut même empêcher complètement quelqu'un d'agir.

Surestimation de la tâche: les tâches peuvent sembler rebutantes à certains moments. Mais bien souvent, les gens surestiment la durée d'une tâche particulière ou le degré de difficulté de la tâche. Il devient alors plus facile de repousser la tâche ou de ne pas la faire du tout.

Inquiétude à propos de la tâche : plutôt que de travailler sur un projet et de progresser pas à pas dans sa réalisation, de nombreuses personnes préfèrent passer du temps à s'en inquiéter. En procédant de cette façon, vous perdez un temps précieux au lieu de l'utiliser de manière productive.

Trop de responsabilités : prendre trop de responsabilités pour la réalisation d'un projet peut être paralysant ; vous figez sur place et évitez la tâche plutôt que d'y travailler de façon productive.

SURMONTER LA PROCRASTINATION

Y a-t-il des raisons de tergiverser qui s'appliquent à vous ? Si tel est le cas, considérez les stratégies ci-dessous et utilisez-les pour surmonter la procrastination. Rappelez-vous qu'à long terme, remettre les choses à plus tard ne fera qu'augmenter votre anxiété et votre inquiétude. Maîtrisez votre emploi du temps en commençant par mener à bien toutes les tâches qui figurent sur votre liste !

Confrontez aussi vos croyances négatives éventuelles concernant l'échec. Si vous essayez, quelle est la probabilité que vous échouiez ? Et que se passerait-il effectivement si vous échouiez ? Connaissez-vous quelqu'un qui n'a jamais échoué ? Examinez les conséquences que vous craignez et demandez-vous, objectivement, si elles sont susceptibles de se produire. Le résultat redouté est-il pire que de ne pas faire la tâche du tout ? Si non, pourquoi alors ne pas essayer ?

CHASSEZ LE PERFECTIONNISME. Avez-vous l'impression de ne pas poursuivre certaines activités parce que vous passez trop de temps à essayer de les faire à la perfection ? Comme ces tâches doivent être parfaitement accomplies, selon vous, est-il possible que vous ne vous y attaquiez même pas ? Si tel est le cas, demandez-vous alors ce qui se passerait si elles n'étaient pas aussi parfaites ? Quelle conséquence cela aurait-il pour vous ? Qu'est-ce que cela révélerait aussi sur vous-même ? Cela peut s'avérer difficile ; toutefois, si vous voulez franchir l'obstacle du perfectionnisme, vous devrez remettre en question vos propres croyances. Exercez-vous à accomplir vos tâches en commettant de petites erreurs : arrêtez de nettoyer la cuisine même si le travail n'est pas complètement achevé, retournez des appels téléphoniques non urgents le lendemain plutôt que le jour même. Ensuite, observez bien ce qui s'est passé. Les choses ont-elles tourné différemment par la suite ? Si ce n'est pas le cas, pratiquez donc encore un peu plus l'imperfection.

DÉCOMPOSEZ LA TÂCHE EN ÉTAPES. Celle-ci semble souvent tellement lourde qu'il est difficile pour vous de savoir par où commencer. Si vous constatez que vous tergiversez fréquemment et avez du mal à amorcer une activité, abordez chaque projet ou chaque tâche comme une série de petites étapes plutôt que comme un tout écrasant. Si vous devez acheter une nouvelle assurance automobile, vous pourriez par exemple répartir la tâche en étapes : vous informer sur Internet au sujet des différentes compagnies d'assurances, trouver les numéros de téléphone des agents locaux de ces sociétés, puis demander à ces mêmes agents des estimations portant sur l'assurance automobile. Ainsi, lorsque vous établissez votre agenda, inscrivez chacune des étapes plutôt que le projet dans sa totalité. Cette initiative vous permettra d'accroître votre productivité. Avant de vous en rendre compte, vous aurez mené à terme l'ensemble de la tâche !

Ne vous inquiétez pas, agissez ! Si vous estimez que vous passez plus de temps à vous soucier d'une tâche qu'à l'exécuter, il est préférable d'y plonger sur-le-champ. Une fois que vous aurez commencé, non seulement la tâche s'accomplira plus vite que vous ne le pensiez, mais vous la trouverez souvent moins désagréable que prévu. Rappelez-vous que s'inquiéter à propos d'une tâche prolonge l'anxiété. En commençant tout de suite, vous serez plus productif et passerez moins de temps à penser à des tâches désagréables. Et vous aurez en prime plus de temps pour faire ce que vous voulez faire.

Observez votre état d'esprit lorsque la tâche est terminée. Si vous découvrez que vous avez encore de la difficulté à vous atteler à la tâche, anticipez ce que vous ressentirez et tout ce que vous ferez lorsque la tâche sera accomplie. Que pourriez-vous faire d'amusant lorsque vous aurez fini ? En quoi finir une tâche que vous aviez reportée jusqu'alors affecte-t-il votre degré d'anxiété ou de stress ? Si nécessaire, dressez la liste des avantages et des inconvénients qu'il y a à accomplir une tâche aujourd'hui plutôt que de la remettre à demain. Toutefois, ne passez pas trop de temps à vous convaincre vous-même. Rappelez-vous que la meilleure stratégie consiste à agir maintenant !

Révélez à tout le monde vos objectifs. Annoncez publiquement vos intentions… à votre patron, à votre colocataire, à votre conjoint, à un ami, à quelqu'un qui vous écoutera. Ce faisant, non seulement vous augmenterez votre motivation à atteindre votre but, mais vous gagnerez aussi l'appui et l'encouragement des autres. Invitez-les à vérifier votre progression en même temps que vous. Si vous vous heurtez à des obstacles, n'hésitez pas à demander conseil pour trouver les bons moyens d'atteindre votre but. Et, surtout, invitez les autres à célébrer avec vous lorsque vous aurez achevé votre projet!

Points importants

- Une mauvaise utilisation du temps entraîne une augmentation de la frustration, de l'anxiété et de l'inquiétude. Il est prouvé qu'une bonne gestion du temps réduit les sentiments négatifs, notamment l'inquiétude.

- Nombre de gens ne sont pas conscients de la façon dont ils emploient leur temps. Accroître la conscience de notre emploi du temps est la première étape que nous devons franchir pour améliorer notre gestion du temps.

- Planifier et prioriser les tâches de façon plus efficace améliorent la productivité et diminuent l'anxiété et l'inquiétude.

- La procrastination est un problème fréquent que l'on peut surmonter en examinant les causes profondes qui nous poussent à remettre à plus tard, et surtout en mettant en œuvre des stratégies d'action appropriées.

Chapitre

Communiquer avec affirmation

Comme vous l'avez probablement constaté, les exigences de la vie ne sont pas toujours raisonnables ni justes. Il y a donc de bonnes raisons de se sentir préoccupé. Lorsqu'on est surchargé de responsabilités, lorsqu'on ne revendique pas nos droits et que l'on cède toujours aux exigences, il est facile de devenir anxieux et inquiet. La difficulté à communiquer peut affecter ainsi votre productivité au travail, vous amener à éviter les relations intimes et vous faire éprouver du stress et de l'inquiétude de manière indue. Dans ce chapitre, vous apprendrez à reconnaître les différents styles de communication, à communiquer vos sentiments et vos besoins de manière affirmée et à refuser des demandes déraisonnables.

Comment la communication joue sur l'inquiétude

Les personnes inquiètes grandissent souvent avec la conviction que les besoins des autres sont plus importants que les leurs. Peut-être vous a-t-on appris que vous deviez accommoder les autres chaque fois que vous le pouviez, ou garder vos récriminations pour vous-même ou ne jamais remettre en question l'autorité. Si cette attitude peut vous permettre de traverser la vie sans grand conflit ou désaccord avec les autres, elle finit au bout du compte par peser lourd ; elle peut vous amener à ressentir de la colère, de la souffrance, du ressentiment ou de l'impuissance. Vous ne pouvez donc maintenir ce type de comportement qu'un certain temps, car inévitablement la frustration et l'anxiété accumulées finiront bien un jour par vous faire sortir de vos gonds… devant votre conjoint, votre patron ou une personne étrangère. Pire encore, vous pourriez retourner ces frustrations contre vous-même ; et constater que tous ces sentiments inexprimés et ce fardeau chronique ruinent peu à peu votre bien-être physique et mental. Heureusement, il existe un juste milieu entre l'accès de colère et la capitulation : c'est l'affirmation de soi.

S'affirmer signifie exprimer ses droits personnels tout en respectant les droits d'autrui (Lange et Jakubowski, 1976). En apprenant à communiquer de manière affirmée, vous aurez la maîtrise d'une source importante de stress et d'inquiétude : votre relation avec les autres. Cependant, pour bien comprendre l'affirmation de soi, vous devez d'abord en apprendre davantage sur les autres types de communication.

La communication agressive : les gens qui ont une communication agressive font souvent abstraction des besoins et des sentiments des autres pour ne favoriser que les leurs. Ils peuvent crier, menacer, accuser ou dénigrer pour faire leur chemin. Ils ont tendance à écraser indistinctement les autres sur leur passage pour satisfaire leurs désirs. Cette méthode fonctionne parfois, car certaines personnes préféreront céder devant la communication agressive, afin de prévenir un conflit ou éviter une mauvaise interaction. Toutefois, ce style de communication a souvent l'inconvénient de provoquer l'antipathie, la crainte et l'évitement.

La communication passive : à l'autre extrémité du spectre, les communicateurs passifs font tout pour éviter l'affrontement ou les désaccords. Ils font toujours passer les besoins des autres avant les leurs et ne revendiquent jamais leurs droits. Ces personnes laissant les autres avoir le dessus, elles évitent ainsi les discussions et la désapprobation. Néanmoins, il est rare qu'une personne puisse toujours éviter d'exprimer ses sentiments sans finir par ressentir de la colère, de la frustration, de l'oppression ou du ressentiment.

La communication affirmée : les communicateurs affirmés se situent entre les agressifs et les passifs ; là où les droits des autres sont respectés, tandis que leurs besoins personnels sont également satisfaits. Ces communicateurs défendent donc leurs droits et expriment leurs sentiments, tout en demeurant polis et respectueux des autres. La communication affirmée a pour avantage de faire en sorte que personne ne puisse profiter de nous et que nos besoins soient satisfaits sans pour autant s'aliéner les autres. La communication affirmée est la méthode la plus efficace d'interaction avec autrui.

Exercice : reconnaissez les styles de communication

Maintenant que vous avez appris les trois principaux styles de communication, voyez si vous pouvez reconnaître le style d'interaction dans ces trois scénarios :

1. Maria est au comptoir du service à la clientèle et attend en ligne depuis plusieurs minutes. Lorsque le numéro de Maria est appelé, un homme qui vient d'entrer passe devant tout le monde et se place devant elle au comptoir. Maria dit : « Monsieur, je ne sais pas si vous vous en rendez compte, mais nous sommes servis par ordre d'arrivée et c'est à mon tour. Vous devez prendre un numéro à l'entrée, près de la porte. » La réponse de Maria est-elle agressive, passive ou affirmée ? Pourquoi ?

2. Robert est représentant de commerce en photocopieurs et son directeur des ventes vient de lui demander d'échanger son territoire avec celui d'un collègue. Cet échange aura pour

résultat de doubler le temps de déplacement de Robert; en outre, celui-ci devra travailler beaucoup plus fort pour créer autant de contacts que ceux qu'il avait déjà établis dans son territoire actuel. Robert sait que cela lui causera aussi des problèmes à la maison parce qu'il consacrera encore moins de temps à sa femme et ses enfants; mais il estime qu'il doit être un joueur d'équipe et répond: « Certainement, monsieur. » Robert a-t-il un comportement agressif, passif ou affirmé? Pourquoi?

3. Michelle revient à la maison après une longue journée de travail pour découvrir que son mari n'a pas préparé le dîner, contrairement à ce qu'il avait promis. Elle le trouve plutôt en train de regarder un match de basket-ball à la télévision. Furieuse, elle crie: « Tu ne fais jamais rien dans la maison. Je pourrais tout aussi bien être célibataire. On s'enligne pour un divorce, mon vieux! » Le comportement de Michelle est-il agressif, passif ou affirmé? Pourquoi?

Voyons vos réponses. Avez-vous pensé que le comportement de Marie était convenablement affirmé du fait qu'elle a revendiqué ses droits tout en respectant les droits des autres? Avez-vous pensé que la réponse de Robert était passive et que celui-ci n'a pas exprimé ses sentiments? Michelle a-t-elle été agressive dans sa réaction à la situation en vociférant et en proférant des menaces? Si vous répondez oui, c'est excellent! Vous êtes sur la bonne voie. Comprendre la différence entre ces trois types de réponses permet de faire un grand pas en avant dans l'apprentissage de l'affirmation de soi. Si nécessaire, revenez en arrière et revoyez les définitions de la communication agressive, passive et affirmée avant de continuer.

Vous pouvez vous affirmer davantage !

Dans cette section, nous allons passer en revue les étapes de la communication affirmée :

1. Définir la situation

2. S'exprimer

3. Proposer une solution

4. Exposer les conséquences

Comme vous pouvez le constater, à partir de ces étapes, l'affirmation – comme toute autre compétence – peut être décomposée en parties distinctes. Vous devez mettre ces étapes en pratique pour maîtriser la communication affirmée. Communiquer de manière plus affirmée peut paraître bizarre au début, mais avec de l'entraînement, vous serez progressivement plus à l'aise pour vous exprimer et vous remarquerez vite un changement positif dans vos relations avec autrui, de même qu'une réduction du stress et de l'inquiétude dans votre vie.

PREMIÈRE ÉTAPE : DÉFINIR LA SITUATION

Selon le livre *Asserting Yourself* de Bower et Bower (1991), la première étape dans l'apprentissage de la communication affirmée consiste à définir la ou les situations où vous avez de la difficulté à vous affirmer. Soyez aussi précis que possible. Indiquez *qui* sont les personnes concernées, *quand* cela se produit habituellement et *ce qui* est susceptible de se produire. Indiquez aussi comment vous *répondez* habituellement et ce que vous souhaiteriez voir arriver différemment à l'avenir (objectif affirmé).

Prenons l'exemple de Charlotte, une mère célibataire qui a bien du mal à s'affirmer dans le scénario suivant : le soir après dîner (quand), lorsqu'il est temps pour son fils adolescent (qui) de faire ses devoirs, Charlotte le retrouve souvent dans sa chambre en train de regarder la télévision ou de jouer à des jeux vidéo (ce qui arrive). Charlotte lui rappelle alors qu'il doit faire ses devoirs mais, comme celui-ci ne répond pas, elle redescend à la cuisine, triste et impuissante, et s'inquiète des résultats scolaires de son fils (réponse). Chaque soir ce scénario se répète à plusieurs reprises. Charlotte voudrait que son fils répondre rapidement à sa demande et fasse ses devoirs sans avoir à le lui redemander (objectif affirmé).

DEUXIÈME ÉTAPE : S'EXPRIMER

La prochaine étape de l'apprentissage de la communication affirmée consiste à exprimer ce que vous ressentez face à la situation ou au comportement de l'autre personne. Efforcez-vous de toujours utiliser le « je » lorsque vous exprimez vos sentiments, afin d'éviter de jeter le blâme sur l'autre. Le « je » vous permet d'exprimer ce que vous ressentez face à un comportement ou une situation… sans accuser ni blâmer personne. Charlotte pourrait par exemple dire à son fils : « J'ai le sentiment que tu ne me respectes pas quand tu ne réponds pas à ma demande. » Elle pourrait lui dire aussi : « Tu me rends triste quand tu ne m'écoutes pas. » Laquelle de ces affirmations constitue une utilisation appropriée du « je » ? Exact ! La première exprime les sentiments de Charlotte au sujet de cette situation, mais elle ne transfère pas la responsabilité de ses émotions à son fils.

TROISIÈME ÉTAPE : PROPOSER UNE SOLUTION

Proposez ensuite une solution possible à la situation. Soyez prêt à mettre de l'avant la solution que vous souhaitez voir survenir.

Soyez précis et concis dans votre demande. Si possible, essayez de transmettre la solution que vous préféreriez comme une demande ferme, mais non pas comme un ordre. Ainsi Charlotte pourrait dire à son fils: « À partir de maintenant, je voudrais que tu fasses tes devoirs avant le dîner et avant de regarder la télé ou de jouer à des jeux vidéo. Je vais seulement te le rappeler une fois chaque soir. »

QUATRIÈME ÉTAPE : EXPOSER LES CONSÉQUENCES

Une fois que vous aurez proposé une solution possible, vous pouvez indiquer les conséquences de cette nouvelle disposition, à commencer par les résultats positifs probables. Charlotte pourrait présenter la situation ainsi : « Cela nous permettra d'être tous les deux satisfaits. Je serai contente de savoir que tes devoirs sont faits. Et tu auras le loisir de faire ce que tu veux après le dîner, sans avoir à m'entendre pester contre toi pour que tu fasses tes devoirs. » Mais, si le fait de faire ressortir les conséquences positives ne donne pas les résultats escomptés, il peut être très opportun alors de fixer des limites ou d'imposer des conséquences négatives.

Car dans le cas où son fils ne serait pas d'accord avec cette nouvelle disposition ou ne s'y conformerait pas, il appartiendrait sans doute à Charlotte d'énumérer clairement les conséquences négatives d'un tel comportement. Elle pourrait exprimer les choses ainsi : « Si tu ne termines pas tes devoirs avant le dîner, ou si je dois te le rappeler plus d'une fois, tu seras privé ce soir de tes privilèges de télévision et de jeux. »

Exercice : pratiquez la communication affirmée

Rappelez-vous les étapes: définir la situation, s'exprimer, proposer une solution et décrire les conséquences. Vous les avez bien notées? Pensez maintenant à une situation dans laquelle vous avez du mal à être affirmatif. Sortez votre cahier et rédigez un compte rendu détaillé de cette situation. Assurez-vous d'être précis et d'indiquer le nom des personnes qui font partie du scénario, ce qui se passe, quand cela se passe, comment vous traitez normalement cette situation et ce que vous voudriez y changer (ou l'objectif que vous poursuivez). Une fois que vous aurez décrit la situation, il vous faudra traverser chaque étape, l'une après l'autre. Comment exprimeriez-vous vos sentiments à la ou aux personnes concernées sans leur faire de reproche et en utilisant l'énoncé «je»? Que proposeriez-vous comme solution? Quels seraient les résultats positifs éventuels d'une telle solution? Et si cette solution est rejetée, quelles en seraient les conséquences?

Répétez cet exercice avec le scénario pour résoudre au moins cinq situations dans lesquelles vous avez du mal à exprimer vos sentiments, trouvez difficile de dire non ou avez le sentiment que l'on profite de vous.

Lorsque des problèmes se posent

Si vous pensez que cela semble trop beau pour être vrai, vous avez raison! Les autres ne répondront pas toujours positivement à vos demandes affirmées et vous n'aurez pas toujours le temps de réfléchir à fond à une situation avant de réagir. Toutefois, en pratique, l'affirmation de soi deviendra pour vous une seconde nature et vous répondrez aux situations rapidement et avec facilité. En attendant, voici quelques conseils pour faire face aux situations éprouvantes et aux personnes difficiles.

QUAND ON VOUS PREND À BRÛLE-POURPOINT

Qu'arrive-t-il si vous vous sentez pris au dépourvu ou êtes trop bouleversé pour répondre de manière affirmée à la situation du moment? Souvenez-vous que ne pas répondre *immédiatement* ne signifie pas ne pas répondre du tout. Parfois, la meilleure chose à faire est de retarder la réponse jusqu'à ce que l'on puisse rassembler ses idées et s'exprimer de façon affirmée. N'oubliez pas que c'est votre droit de ne pas répondre immédiatement. Répondre trop rapidement peut souvent vous amener à accepter des choses que vous ne voulez pas vraiment ou à exprimer des idées que vous regrettez plus tard. Lorsqu'une telle situation se présente, allouez-vous un peu de temps pour formuler votre réponse affirmée en disant: «j'ai besoin d'y réfléchir avant de m'engager» ou «je ne me sens pas en mesure d'en discuter en ce moment».

QUAND VOUS AVEZ AFFAIRE À UN COMMUNICATEUR AGRESSIF

Que faites-vous lorsque vous avez affaire à un quelqu'un qui outrepasse les règles de la communication affirmée? Il est fort probable que vous rencontriez cette situation à un moment ou à un autre. Il arrive que l'on réponde à vos demandes avec sarcasme, mépris ou même hostilité. Aussi difficile que cela puisse paraître, ne vous laissez pas déstabiliser par cette attitude négative et ne prenez pas ces réponses trop personnellement. Rappelez-vous qu'il faut être au moins deux pour se disputer et que personne ne peut vous faire accepter une chose avec laquelle vous n'êtes vraiment pas d'accord.

Essayer de trouver un sujet sur lequel se mettre d'accord est une façon d'assainir de telles situations. Même lorsqu'une personne communique de manière agressive, il y a généralement un fond de vérité dans ce qu'elle dit. Il peut être utile d'accepter et de reconnaître un peu de cette vérité.

À titre d'exemple, examinons le cas de Michelle qui dit à son mari « tu ne fais jamais rien dans la maison ». Il pourrait facilement lui rétorquer « j'en fais plus que toi » ou « comment peux-tu le savoir ? Tu n'es jamais là de toute façon », mais ce ton agressif déboucherait vraisemblablement sur une dispute. Comment entendre ce commentaire et y trouver une part de vérité… afin d'éviter un conflit à venir ? Le mari de Michelle pourrait lui répondre : « C'est vrai ; je n'ai pas fait le dîner ce soir comme je l'avais promis. Je peux donc comprendre que tu sois déçue, mais n'oublie pas que je contribue à la maison de bien des manières. »

QUAND QUELQU'UN NE VEUT PAS ÉCOUTER

Bien que cela puisse paraître saugrenu, lorsqu'une personne semble ne pas vouloir entendre votre demande, la meilleure stratégie consiste parfois à répéter simplement votre discours jusqu'à ce qu'elle y prête enfin attention. C'est ce qu'on appelle la technique de la « rengaine ». En répétant votre affirmation, vous faites savoir à l'autre que vous ne vous laissez pas déstabiliser, et qu'argumenter avec vous sera inefficace. Si votre supérieur hiérarchique vous demande par exemple de travailler durant une fin de semaine pour laquelle vous avez déjà demandé un congé, quelle serait la bonne formule à répéter ? En guise d'exercice, essayez de trouver des réponses efficaces puis inscrivez-les dans votre cahier.

QUAND LA COLÈRE SE MANIFESTE

Lorsque la colère ou l'émotion semble s'insérer dans la conversation et brouiller le message, il peut être utile de prendre un temps d'arrêt en utilisant la technique de report décrite ci-dessus. Ou encore d'attirer l'attention sur le fait que la discussion a dévié tout en cherchant à clarifier la situation. Vous pourriez exprimer les choses ainsi « Tu me sembles vraiment en colère ; peux-tu me dire ce qui te dérange à ce point dans ma demande ? » Ou alors, si vous comprenez pourquoi la personne est bouleversée, vous pourriez choisir aussi d'afficher de l'empathie ou d'épouser ses sentiments. Le mari de Michelle aurait pu répondre de la manière suivante : « Je sais à quel point tu travailles fort et je peux comprendre pourquoi tu es contrariée que je n'aie pas préparé le dîner, comme j'avais promis de le faire. » Cela démontre que les sentiments de l'autre sont compris et respectés ; ce qui constitue un ingrédient essentiel lorsqu'il s'agit de traiter efficacement avec autrui.

QUAND LES BESOINS SONT INCOMPATIBLES

Qu'arrive-t-il lorsqu'une personne n'est pas déraisonnable, mais que ses besoins sont en conflit avec les vôtres ? Étant donné que chacun agit en fonction de sa propre grille de besoins, il est fort possible que vous rencontriez de telles situations. Dans ce cas, il peut être préférable de reconnaître simplement la différence, d'être à l'écoute des besoins de l'autre et de tenter ainsi de parvenir à une sorte de compromis.

Points importants

- Une mauvaise communication peut perturber des relations et accroître l'anxiété et l'inquiétude. Corriger votre style de communication peut améliorer vos relations et, ce faisant, diminuer votre inquiétude.

- Il existe trois types principaux de communication : la communication agressive, la communication passive et la communication affirmée.

- ❖ Les communicateurs affirmés respectent les droits d'autrui, tout en répondant à leurs propres besoins.

- ❖ Voici les quatre étapes de la communication affirmée : définir le problème, exprimer ses sentiments, proposer une solution et exposer les conséquences.

- ❖ Être à l'aise dans la communication affirmée exige de l'entraînement. Si vous y investissez le temps et l'effort nécessaires, cela deviendra un jour une seconde nature.

Chapitre 9

Affronter ses inquiétudes

Combien de fois vous a-t-on déjà dit « Ne t'inquiète pas, ça va bien se passer » ou « Cesse de te tracasser à ce propos et pense de manière positive » ? À l'instar de la plupart des personnes inquiètes, vous avez probablement déjà entendu cela de nombreuses fois. Ces paroles semblent certainement contenir un bon conseil: si cela vous dérange de vous inquiéter pour un sujet précis, il est logique que vous arrêtiez de penser à ce sujet. Mais alors, pourquoi cela ne marche-t-il pas?

Pourquoi l'évitement est-il nuisible ?

Il y a plusieurs raisons pour lesquelles l'évitement ne fonctionne pas, particulièrement l'évitement de l'inquiétude. D'abord, que se produit-il lorsque vous essayez de *ne pas* penser à quelque chose? Vous n'êtes pas sûr? Tentez donc cette expérience: pendant une minute, essayez de *ne pas* penser à un objet précis – une girafe, un ballon rouge – choisissez n'importe quoi. Et quelle que soit votre activité, n'y pensez pas! Allez-y, essayez maintenant...

Comment avez-vous réussi? Si vous êtes comme la plupart des gens, vous n'avez probablement pas très bien réussi. Il se peut même qu'en vous efforçant de ne pas y penser, la chose ait eu tendance à s'imprimer encore plus dans votre esprit. En fait, certaines études scientifiques ont révélé le même schéma: plus on essaie de réprimer des pensées, plus celles-ci sont susceptibles de surgir (Wegman, 1994). Et à supposer qu'on y arrive, il est difficile de maintenir un tel niveau de concentration bien longtemps – c'est épuisant!

Car, même si nous pouvons le faire, nous nous heurtons à d'autres écueils lorsque nous essayons d'éviter les pensées qui inquiètent ou effrayent. Bien que ce soit dans la nature humaine de vouloir éviter les choses déplaisantes ou causant de l'inconfort, l'évitement peut en fait augmenter nos craintes à long terme. En écartant les pensées qui nous bouleversent, nous les reconnaissons comme étant une véritable menace, ou un danger réel devant être évité à tout prix. Cela mine notre confiance en notre capacité à tolérer ces pensées et à gérer notre propre anxiété, ce qui rend ces pensées encore plus puissantes et effrayantes.

Éviter les pensées ou les craintes nous empêche aussi d'apprendre que nous pourrions vraiment faire face à ces pensées ; et que rien de mal ne se passerait si nous les confrontions. Dans le même esprit, plus nous évitons certaines préoccupations ou situations aujourd'hui, plus les risques sont grands que nous les évitions à l'avenir, ce qui instaure durablement un cercle vicieux d'anxiété et d'évitement.

Vous avez peut-être déjà deviné où nous voulons en venir et cela vous semble probablement assez désagréable. Si c'est le cas, vous n'êtes pas tout seul ! La plupart des gens sont sceptiques lorsqu'ils entendent dire qu'une bonne façon de réduire l'inquiétude consiste à s'inquiéter *davantage* en toute connaissance de cause. Mais il est pourtant vrai qu'en affrontant vos pensées redoutées, vous franchirez un grand pas vers la maîtrise de votre inquiétude. Des chercheurs ont découvert que le traitement cognitivo-comportemental, qui implique l'exposition à des images et à des pensées inquiétantes, produit une baisse considérable de l'anxiété, de l'inquiétude et des symptômes physiques liés à l'inquiétude (Ladouceur, Dugas *et al.,* 2000). Faire face directement ses inquiétudes en s'y exposant délibérément est connu sous le nom d'*exposition.*

Mais je m'inquiète déjà tout le temps !

Nos patients sont souvent réticents à l'idée de s'exposer davantage à l'inquiétude ; car il leur semble qu'ils s'inquiètent déjà constamment. Toutefois, si vous pensez à vos modèles d'inquiétude, vous pouvez vous rendre compte que, à l'instar de la plupart des personnes inquiètes, vous vous fixez rarement sur une seule inquiétude à la fois. Ainsi il est fréquent que les inquiétudes passent rapidement de l'une à l'autre. Ce processus, appelé « chaînage », se manifeste souvent tellement vite que les inquiétudes n'ont pas le temps d'être évaluées objectivement (Zinbarg, Craske et Barlow, 1993). Le résultat se traduit habituellement par une escalade d'angoisse à chaque pensée.

Étudions le cas de Paula, mère de famille hyperactive et souvent préoccupée par le temps passé à aider ses quatre enfants à faire leurs devoirs. Avec toutes les responsabilités à assumer au sein de son ménage, elle constatait qu'il lui était difficile d'allouer à chaque enfant le temps qu'elle aurait souhaité lui consacrer. Bien qu'ils aient tous de bonnes notes à l'école, Paula avait peur qu'ils ne souffrent du fait qu'elle ne les encadrait pas assez étroitement. Elle restait donc éveillée la nuit, imaginant que les mauvaises notes qu'ils pourraient avoir les empêcheraient d'aller au collège, que cela nuirait à l'estime d'eux-mêmes et qu'ils n'auraient jamais la possibilité de vivre à la hauteur de leur véritable potentiel. Paula prédisait alors qu'ils abandonneraient probablement l'école, qu'ils se retrouveraient dans des emplois sans avenir, s'engageraient dans de mauvaises relations et seraient destinés à une vie de misère. Au fur et à mesure que cette chaîne d'inquiétudes envahissait son esprit, elle découvrait que l'anxiété s'installait et qu'il lui était de plus en plus difficile de dormir tout en imaginant un avenir misérable pour ses enfants.

Rongée par l'inquiétude, Paula devenait chaque jour plus anxieuse; notamment parce qu'elle ne se concentrait pas suffisamment longtemps sur chaque inquiétude afin de l'évaluer objectivement. Au lieu de se concentrer sur une seule pensée – telle que «mes enfants vont avoir de mauvaises notes car je ne les aide pas assez à faire leurs devoirs» –, Paula aurait pu examiner les éléments de preuve allant à l'encontre de cette idée. Elle aurait pu se dire que ses enfants avaient en fait de bonnes notes, ce qui lui prouvait bien qu'elle les aidait suffisamment. Il s'agissait là d'un élément de preuve tangible contredisant sa pensée.

LA MAGIE DE L'HABITUATION

Plus on demeure concentré longtemps sur une même pensée, moins cette pensée nous dérange: voilà un autre avantage décisif à se concentrer sur une seule pensée. On appelle ce processus *l'habituation.* La recherche a démontré que si l'on s'expose de manière ciblée et répétée à une pensée ou à une situation donnée, l'anxiété diminuera au fil du temps (Foa et Kozak, 1986). Le fait de dissiper une pensée ou d'éviter une inquiétude interfère avec le processus d'habituation et maintient ainsi l'anxiété que l'on ressent. En apprenant à se concentrer sur une seule inquiétude à la fois, en s'inquiétant à dessein et en abordant cette crainte de front plutôt qu'en s'en écartant, on diminue l'anxiété ressentie en réponse à cette pensée.

Pourquoi s'exposer à l'inquiétude?

L'exposition délibérée à l'inquiétude peut être bénéfique de plusieurs façons:

- Affronter vos inquiétudes vous permet de mettre en pratique les compétences que vous avez acquises, telles que les techniques de relaxation ou les défis cognitifs de la pensée déformée.

- L'inquiétude vous permet de vous concentrer intentionnellement sur une seule pensée à la fois pour vous habituer à une inquiétude précise.

- Comme l'exposition à l'inquiétude diminue l'anxiété en réponse à des pensées précises, vous aurez moins peur lorsque ces mêmes pensées surgiront spontanément.

- Éviter les pensées, ou utiliser des techniques telles que la distraction, entretient la peur et peut même causer plus d'anxiété et d'inquiétude encore. La confrontation directe des inquiétudes met un terme au cycle négatif de l'inquiétude.

Comment affronter vos inquiétudes

Affronter efficacement vos inquiétudes suppose que vous fassiez face, systématiquement et à plusieurs reprises, aux pensées et aux images que vous associez à des inquiétudes précises. Voici les étapes à suivre pour pratiquer l'exposition à l'inquiétude (Lang, 2004; Brown, O'Leary, et Barlow, 2001) :

1. Dressez une liste de vos inquiétudes.

2. Créez une hiérarchie en fonction de laquelle vous classerez vos inquiétudes par ordre d'importance ou selon le degré d'anxiété qu'elles provoquent.

3. Mettez en pratique vos compétencesde rêve éveillé dirigé.

4. Choisissez une inquiétude à affronter et concentrez-vous sur elle pendant une période de temps prolongée.

5. Appliquez les techniques de gestion de l'anxiété que vous avez apprises dans les précédents chapitres.

PREMIÈRE ÉTAPE : RECENSEZ VOS INQUIÉTUDES

Replongez-vous dans votre cahier et examinez les notes d'autosurveillance que vous avez prises plus tôt. Quelles inquiétudes avez-vous recensées ? Vous inquiétez-vous au sujet de votre famille, de votre santé ou de votre travail ? Lesquelles pourraient se concrétiser ? Si vous n'avez pas fait d'autosurveillance, sortez votre cahier et établissez à présent la liste de vos inquiétudes les plus fréquentes. Soyez aussi précis que possible. Si vous éprouvez des difficultés, suivez les instructions du chapitre 1 ; elles expliquent comment observer et noter vos inquiétudes. Vous devrez peut-être travailler quelques jours sur cette tâche avant de passer à l'étape suivante.

DEUXIÈME ÉTAPE : CRÉEZ UNE HIÉRARCHIE

Prenez la liste de vos inquiétudes et réfléchissez maintenant au degré d'anxiété déclenché par chacune d'entre elles. Sur une échelle de 1 à 10 – 10 étant le degré le plus élevé d'anxiété et d'angoisse et 1 le plus faible – évaluez l'acuité de chacune d'elles. Certaines personnes trouvent difficile d'évaluer leur anxiété ; si c'est votre cas, ne vous préoccupez pas trop de la précision de vos estimations. Faites simplement de votre mieux. Vous aurez toujours le loisir de modifier votre appréciation plus tard si nécessaire.

Dans votre cahier, dressez une nouvelle liste de vos inquiétudes, classées de la plus anxiogène à la moins anxiogène.

À titre d'exemple, la hiérarchie des inquiétudes de Paula pourrait ressembler à ceci :

Inquiétude	**Degré d'anxiété**
Mes enfants auront une vie malheureuse.	10
Mon mari pourrait être impliqué dans un accident de voiture.	9
Mes enfants ne réussiront pas au collège.	8
Je pourrais avoir une maladie dont je ne connais rien.	8
Je ne passe pas assez de temps avec mes enfants.	6

Mon patron remarquera l'erreur que j'ai faite hier.	5
Les factures ne seront pas payées à temps.	5
Je ne finirai jamais toutes mes tâches ménagères.	4
Je vais être en retard au travail.	4

TROISIÈME ÉTAPE : EXERCEZ VOTRE IMAGINATION

Il peut être difficile d'avoir en tête une pensée et de se concentrer sur elle durant une longue période de temps, surtout lorsque cette dernière provoque de l'anxiété. Comme pour toute compétence, maîtriser son imagination requiert du temps et de l'entraînement. Nombre de gens trouvent qu'il est plus facile d'exercer leur imagination sur des scènes agréables ou neutres avant de passer aux scénarios de leurs inquiétudes.

Si vous avez du mal à visualiser l'image voulue ou à la maintenir de manière constante dans votre esprit, revenez au chapitre 3 et relisez les instructions concernant le rêve éveillé dirigé. Exercez-vous à imaginer une scène agréable avant de commencer à exposer votre esprit à des images et à des pensées inquiétantes.

QUATRIÈME ÉTAPE : CHOISISSEZ UNE INQUIÉTUDE ET AFFRONTEZ-LA

Une fois que vous aurez établi une hiérarchie dans vos inquiétudes et que vous aurez aiguisé vos compétences de visualisation, le temps sera venu de choisir la première inquiétude que vous devrez affronter. Pour commencer, choisissez-en une qui provoque une légère anxiété. Puis notez les pires conséquences possibles, liées à cette dernière, en inscrivant autant de détails que vous le pouvez. Il serait logique pour Paula de commencer par son inquiétude d'être en retard au travail, car elle affiche un faible degré d'anxiété sur sa liste. Elle examinerait ensuite toutes les conséquences négatives redoutées, que pourrait entraîner son retard au travail, et les noterait en détail. Le scénario pourrait ressembler à ceci :

J'arrive en retard au travail et tout le monde le remarque lorsque je franchis la porte du bureau. Debout près de mon pupitre, mon patron parle à un collègue. En me dirigeant vers mon poste de travail, je le vois regarder sa montre. Il est furieux; c'est évident. Plus tard dans la journée, il me fait venir dans son bureau. Il me dit qu'il ne peut plus tolérer ce genre de comportement; ce n'est pas juste pour les autres employés. Il m'annonce que je dois libérer mon bureau pour la fin de la journée. On ne me laisse même pas le temps de trouver un autre emploi. Ma famille et moi n'arrivons pas à joindre les deux bouts. Nous devons déménager et pouvons à peine nous permettre les nécessités les plus élémentaires de la vie.

Après avoir écrit cette scène, Paula se l'imaginerait de manière aussi vivante que possible. Certains trouvent d'ailleurs plus facile d'enregistrer le scénario sur cassette audio. De la sorte, vous pouvez fermer les yeux et vous concentrer vraiment sur les images. Efforcez-vous de maintenir les pensées et les images dans votre esprit pendant vingt à trente minutes. Concentrez-vous sur ces pensées et sur ces images, exactement comme vous le feriez si le scénario se déroulait réellement. Il est normal que l'anxiété augmente dans cette partie de l'exercice, mais elle devrait commencer à décroître au cours de l'exposition. En utilisant pour ce faire l'échelle de 1 à 10, n'oubliez surtout pas de noter votre niveau d'anxiété dans votre cahier, à la fois au début de l'exposition et à la fin.

CINQUIÈME ÉTAPE :
APPLIQUEZ VOS STRATÉGIES DE GESTION DE L'ANXIÉTÉ
Après vingt à trente minutes d'exposition continue, vous pouvez commencer à appliquer vos techniques de gestion de l'anxiété. Paula pourrait par exemple repérer les erreurs cognitives que suscite son inquiétude d'être congédiée pour un retard. Elle pourrait ainsi établir une liste des preuves allant à l'encontre de cette croyance, ou proposer d'autres possibilités plus vraisemblables. À ce stade, vous pourriez aussi appliquer des techniques de relaxation, telles que la respiration diaphragmatique. Dans votre cahier, consignez à nouveau votre degré d'anxiété après avoir appliqué vos nouvelles compétences.

À quoi s'attendre au cours de l'exposition à l'inquiétude ?

L'effet de l'exposition à l'inquiétude se traduira par une diminution globale de l'anxiété ; mais, dans un premier temps, peut-être trouverez-vous aussi que celle-ci est plus élevée que la normale. Il faut s'y attendre… en fait, votre anxiété *doit* être au moins d'intensité modérée pendant la période d'exposition pour que l'exercice soit efficace. Toutefois, à la fin de chaque période prévue d'exposition, vous devriez relever une réduction de votre anxiété par rapport à votre angoisse maximale de ce jour-là. À force de répéter ce même exercice d'exposition à l'inquiétude, vous devriez constater de jour en jour une baisse de votre degré d'anxiété initiale. Certains trouvent que plus ils s'exposent à l'inquiétude, plus leur anxiété tend à s'atténuer rapidement. Rappelez-vous que vous bâtissez ainsi le socle de votre endurance et que vous travaillez d'arrache-pied afin de hausser le seuil de tolérance à l'égard de vos pensées inquiètes. Il est donc tout à fait normal que vous vous sentiez physiquement ou mentalement fatigué. Au fur et à mesure que vous affrontez vos inquiétudes, attendez-vous à vous sentir temporairement plus anxieux; mais si vous persévérez, vous devriez bientôt commencer à observer des résultats positifs et une réduction de l'anxiété.

CONSEILS POUR UNE SÉANCE D'EXPOSITION RÉUSSIE

Si vous éprouvez des difficultés à pratiquer l'exercice d'exposition ou si vous constatez que votre anxiété ne semble pas diminuer, les stratégies suivantes peuvent également vous aider:

- Imaginez votre scénario d'inquiétude d'une manière aussi vivante que possible. Incluez des détails très précis sur les sons, les odeurs, les lieux, les pensées et les sentiments que renferme l'inquiétude. Écrivez ce scénario au présent et à la première personne, comme si l'événement se produisait en fait maintenant.

- Concentrez-vous uniquement sur cette inquiétude et gardez-en les images bien présentes à l'esprit, sans bifurquer vers d'autres inquiétudes ou d'autres sujets. N'oubliez pas que si vous vous concentrez sur plus d'une inquiétude à la fois, cela perturbera votre démarche de réduction de l'anxiété.

- ❖ Persévérez ! Les gens sont parfois tentés d'abandonner prématurément les exercices d'exposition ; car ils trouvent désagréables de ressentir l'anxiété. Souvent, ils cessent de faire l'exercice dès que le pic d'anxiété est atteint, donc juste avant que l'inquiétude soit sur le point de s'estomper. Conservez l'image en tête pendant au moins trente minutes avant de vous arrêter. Il peut vous *sembler* que l'anxiété ne s'arrêtera jamais. Persistez – l'angoisse s'estompera à la longue !

- ❖ Faites quotidiennement un exercice d'exposition à l'inquiétude. Cela ne fonctionnera pas si vous ne le faites que sporadiquement : votre anxiété demeurera probablement élevée. Si vous voulez rendre vos efforts productifs, exposez-vous – chaque jour et sans relâche – à l'inquiétude !

- ❖ Si vous remarquez que votre anxiété ne diminue pas, regardez-y de plus près ; l'obstacle se situe peut-être dans un évitement subtil, un comportement inquiet ou une distraction. Il est possible que vous ayez recours à ces types de stratégies par réflexe, mais souvenez-vous qu'elles ne fonctionnent qu'à court terme. À la longue, elles finissent par nourrir votre anxiété.

- ❖ *Après* l'exposition à l'inquiétude, abstenez-vous d'utiliser vos compétences de gestion de l'anxiété pendant au moins vingt à trente minutes. N'essayez pas de vous rassurer lors de l'exposition et ne tentez pas de vous parler pour contrer la peur. L'anxiété finira par diminuer d'elle-même !

- Utilisez vos compétences en matière de relaxation pour mettre à l'épreuve vos distorsions cognitives après l'exposition. Si vous avez de la difficulté à dégager ces distorsions dans vos pensées inquiètes, demandez à un ami, à un parent, à votre thérapeute de vous aider à y parvenir. Ou alors, avant de pratiquer l'exercice d'exposition, essayez de trouver des attitudes de rechange, que vous pourriez utiliser lorsque vous aurez terminé l'exposition.

Lorsque vous aurez réussi un exercice d'exposition face à l'une de vos inquiétudes, et que celle-ci ne provoquera plus d'anxiété en vous, le temps sera alors venu de pousser plus avant dans la hiérarchie de vos inquiétudes. Une fois votre anxiété – celle correspondant à la première inquiétude que vous avez choisie – ramenée à un niveau minimum, commencez aussitôt à travailler sur l'inquiétude suivante, telle qu'elle est indiquée sur votre liste. Servez-vous des étapes décrites ci-dessus pour vous exposer à cette nouvelle inquiétude jusqu'à ce qu'elle ne provoque plus aucune anxiété en vous. Continuez ainsi à progresser dans la hiérarchie jusqu'à ce que vous ayez affronté une à une toutes vos inquiétudes.

Points importants

- Éviter les inquiétudes, ou essayer de ne pas y penser, peut effectivement entraîner une augmentation de l'inquiétude et de l'anxiété.

- Les personnes inquiètes ont tendance à cumuler plusieurs inquiétudes, ce qui conduit à une escalade de l'anxiété.

- Pour pratiquer l'exposition à l'inquiétude, vous devez classifier les scénarios en vous fondant sur le degré d'anxiété que ces scénarios d'inquiétude déclenchent en vous ; puis choisir un scénario précis pour confronter cette même inquiétude.

- Confronter les inquiétudes une à la fois permet d'évaluer les résultats redoutés.

- Se fixer sur une inquiétude assez longtemps permet de réduire l'anxiété ou de créer une habituation.

- L'exposition à l'inquiétude vous procure également une occasion de mettre en pratique vos compétences de gestion de l'anxiété, telles que la relaxation ou la confrontation des distorsions cognitives.

Chapitre 10

Connaître ses médicaments

Si vous avez regardé la télévision ou ouvert un magazine récemment, vous avez sans doute entendu parler des nombreux médicaments vendus pour traiter l'anxiété et l'inquiétude. En fait, nous n'avons que l'embarras du choix. Étant donné qu'il peut être difficile de décider s'il y a lieu ou non de prendre des médicaments, il est important que vous ayez des informations fiables afin de faire le meilleur choix. Le présent chapitre donne un aperçu des médicaments offerts pour traiter l'anxiété. Il est destiné à vous aider à discuter des options avec votre médecin et à décider si ces médicaments sont vraiment faits pour vous.

Nombre de ceux qui souffrent d'inquiétude excessive n'ont pas besoin de médicaments ou ne veulent pas en prendre. Heureusement, d'autres stratégies existent – en dehors des médicaments – pour traiter l'anxiété et l'inquiétude; nous en avons d'ailleurs longuement discuté dans les chapitres précédents. Dans nos pratiques, nous avons constaté que certains individus anxieux bénéficient de l'aide de médicaments en plus des méthodes cognitivo-comportementales décrites dans ce livre; alors que d'autres progressent bien en n'utilisant que les stratégies cognitivo-comportementales. Quoi qu'il en soit, c'est une bonne idée d'en apprendre plus sur les options de médicaments et d'examiner leurs avantages et leurs inconvénients afin que vous puissiez prendre une décision éclairée.

Avantages et inconvénients de la prise de médicaments

Il y a certainement des avantages à prendre des médicaments pour contrer l'anxiété et l'inquiétude. Si on la compare à certains exercices cognitivo-comportementaux, décrits dans les chapitres précédents, la prise de médicaments requiert peu d'effort et peut produire des résultats relativement rapides. Cela s'avère attrayant pour certaines personnes, surtout lorsqu'elles se sentent dépassées par leur anxiété ou qu'elles n'ont pas le temps de mettre en pratique leurs compétences cognitivo-comportementales. Offerts à grande échelle, les médicaments peuvent être prescrits par tout médecin compétent, et non pas seulement par les médecins spécialisés dans le traitement de l'anxiété. Il est aussi plus difficile de trouver un thérapeute formé dans le traitement cognitivo-comportemental de l'anxiété que de trouver un médecin généraliste pouvant prescrire un médicament, particulièrement en dehors des grandes zones métropolitaines. Et sur le plan financier, le médicament se révélera moins cher à court terme que le traitement, surtout si vous avez une assurance médicament.

Toutefois, l'utilisation de médicaments destinés à traiter l'anxiété et l'inquiétude peut présenter de sérieux inconvénients. En effet, ils soulageront vos symptômes... dans une certaine mesure, mais ils ne vous enseigneront pas de nouvelles compétences pour vous permettre de gérer votre anxiété. Sans ces nouvelles compétences, visant à changer vos habitudes et vos pensées négatives, les médicaments ne feront qu'atténuer les symptômes de façon temporaire ; en outre, vous pourriez être vulnérable à une rechute, lorsque vous cesserez de les prendre. Les effets secondaires et les interactions avec l'alcool ou avec d'autres prescriptions représentent également des désagréments additionnels, associés à la prise de médicaments. Ceux-ci pouvant avoir un effet négatif sur votre état de santé, il est donc important que vous discutiez de ces questions en détail avec votre médecin avant de prendre toute décision à ce sujet.

Les médicaments pour l'anxiété et l'inquiétude

La Food and Drug Administration (FDA) des États-Unis a approuvé plusieurs médicaments pour le traitement des troubles d'anxiété généralisée, dont l'inquiétude excessive constitue le vecteur principal (Goodman, 2004; Albrant, 1998). Nous avons répertorié ces médicaments dans le tableau ci-dessous; les différentes classes de médicaments vous seront expliquées un peu plus avant dans ce chapitre. Il existe nombre d'autres médicaments utilisés dans le traitement de l'anxiété et de l'inquiétude, et ayant aussi prouvé leur efficacité. Si vous envisagez d'y recourir pour vous aider à gérer vos inquiétudes, vous devriez discuter de toutes ces options avec votre médecin.

Médicaments autorisés par la FDA pour le traitement des troubles d'anxiété généralisée

Médicament (classe)	Dose de départ (mg/jour)	Dosage quotidien (mg/jour)
Venlafaxine (SNRI)	37,5	75-300
Escitalopram (ISRS)	10	10-20
Paroxétine (ISRS)	10	10-50
Alprazolam (benzodiazépine)	1	2-10
Lorazépam (benzodiazépine)	0,75	3-10

Diazépam (benzodiazépine)	4	4-40
Buspirone (azapirone)	15	15-60

Soyez conscient que les doses de départ recommandées et les marges posologiques des médicaments sont fondées sur la moyenne des réponses obtenues de la part de grands groupes témoins de personnes ayant participé à des études de recherche. Dans votre cas, certaines raisons pourraient justifier une dose au-dessus ou en deçà de la dose de départ typique ou de la marge posologique recommandée. À titre d'exemple, des facteurs tels que l'influence hormonale, le métabolisme et une maladie du rein ou du foie peuvent justifier un dosage différent. Si vous avez des questions, votre médecin vous aidera à comprendre pourquoi un médicament ou un dosage particulier vous a été prescrit.

ANTIDÉPRESSEURS

En dépit de leur nom, les antidépresseurs sont en fait utilisés pour traiter un large éventail de problèmes autres que la dépression, notamment l'anxiété et l'inquiétude. Parmi les différents types d'antidépresseurs, les inhibiteurs sélectifs de la recapture de la sérotonine (ISRS) sont considérés comme le traitement de première ligne pour les troubles anxieux généralisés (Goodman, 2004). D'autres catégories d'antidépresseurs, telles que les inhibiteurs de la recapture de la sérotonine et la noradrénaline (IRSN), se sont aussi révélées efficaces pour le traitement de l'anxiété (Rickels *et al.*, 2000; Sheehan, 2001). Les ISRS ainsi que les IRSN peuvent prendre un certain temps, généralement de deux à quatre semaines, avant de commencer à faire effet. Ils sont généralement bien tolérés, mais ils peuvent provoquer des effets secondaires, particulièrement au début du traitement d'ont celui d'*accroître* votre sentiment d'anxiété et d'agitation dans les quinze premiers jours du traitement. Lorsque vous commencez à prendre un antidépresseur, il peut vous être utile d'anticiper cette possibilité. Durant cette phase initiale, il est particulièrement important que vous réduisiez votre exposition au stress, et que vous puissiez compter sur du soutien supplémentaire.

LES INHIBITEURS SÉLECTIFS DE LA RECAPTURE DE LA SÉROTONINE (ISRS)

Parmi les ISRS, la paroxétine (Paxil) et l'escitalopram (Lexapro) ont été approuvés par la FDA pour le traitement du trouble anxieux généralisé (Bielski, Bose et Chang, 2005). Les autres ISRS, comme la sertraline (Zoloft), la fluoxétine (Prozac) et la fluvoxamine (Luvox), ont également été utilisés de manière efficace chez des patients anxieux (Albrant, 1998). Ces médicaments influent sur les concentrations du neurotransmetteur de la sérotonine dans le cerveau. Les effets secondaires peuvent varier mais comprennent généralement des nausées, de l'insomnie, des maux de tête, de la fatigue et des problèmes d'ordre sexuel, tels qu'une diminution de la libido et de la difficulté à atteindre l'orgasme.

LES INHIBITEURS DE LA RECAPTURE DE LA SÉROTONINE ET DE LA NORADRÉNALINE (IRSN)

L'antidépresseur IRSN venlafaxine (Effexor) s'est aussi révélé efficace pour traiter l'anxiété (Sheehan, 2001) et la FDA l'a approuvé pour le traitement des troubles d'anxiété généralisée. Ce médicament influent sur les concentrations du neurotransmetteurs: la noradrénaline et la sérotonine. Les effets secondaires peuvent inclure des nausées, des étourdissements, de la somnolence et des problèmes d'ordre sexuel. Il existe aussi un risque d'hypertension chez certains utilisateurs, en particulier lorsque ces médicaments sont pris à des doses élevées; c'est pourquoi un suivi est indiqué.

LES MÉDICAMENTS ANXIOLYTIQUES

Parmi les anxiolytiques, il existe deux types de médicaments qui se sont révélés efficaces dans le traitement de l'anxiété et de l'inquiétude: les benzodiazépines et les azapirones. Ces médicaments sont généralement utiles pour traiter des symptômes somatiques ou physiques de l'anxiété, mais sont probablement moins efficaces pour traiter la composante cognitive de l'inquiétude.

Les benzodiazépines

Les benzodiazépines constituent la famille de médicaments anxiolytiques la plus connue. Les benzodiazépines incluent des médicaments tels que l'alprazolam (Xanax), le lorazépam (Ativan), le clonazépam (Klonopin) et le diazépam (Valium), qui ont tous été approuvés par la FDA pour le traitement de l'anxiété généralisée. Comme ils agissent rapidement, ces médicaments sont généralement utilisés lorsqu'il est nécessaire de réduire de manière plus immédiate des symptômes d'anxiété (Sheehan, 2001). Ces médicaments sont couramment prescrits en début de traitement, pour soulager une détresse aiguë ou en attendant qu'un autre médicament, un ISRS par exemple, commence à faire effet. Ils risquent toutefois de ne pas convenir pour un traitement à long terme (Pollack, 2001).

Parmi les effets indésirables fréquents, on remarque des troubles cognitifs ou de la confusion, de la sédation, des étourdissements et des troubles de la motricité. Ces médicaments ne doivent pas être pris en même temps que de l'alcool, car les effets secondaires peuvent être intensifiés... voire dangereux. Bien que de nombreuses personnes puissent prendre ces médicaments sans incident, il existe un risque de mauvaise utilisation, d'abus ou de dépendance. Les indications de dosage doivent donc être suivies à la lettre ! En outre, lorsqu'une personne cesse de prendre des benzodiazépines, elle doit le faire de façon progressive et sous la supervision étroite de son médecin, car des symptômes de sevrage sont possibles, particulièrement si le médicament a été pris à des doses élevées sur une longue période de temps.

Les azapirones

La buspirone (BuSpar) est l'azapirone approuvée par la FDA pour le traitement du trouble anxieux généralisé (Goodman, 2004). Les propriétés anxiolytiques de la buspirone semblent provenir de ses effets sur certains récepteurs du neurotransmetteur sérotonine. Elle est similaire aux ISRS dans la mesure où elle peut prendre de deux à quatre semaines avant de faire effet. Parmi les effets indésirables fréquents, on note des vertiges, des sensations ébrieuses, des maux de tête, des nausées et de la nervosité. Pour être efficace, la buspirone doit être prise deux à trois fois par jour, ce qui peut être difficile à gérer pour certains patients.

AUTRES OPTIONS DE MÉDICAMENTS

Outre les médicaments examinés ci-dessus, il existe d'autres antidépresseurs et anxiolytiques ainsi que d'autres types de médicaments qui pourraient être efficaces dans le traitement de l'anxiété et de l'inquiétude. Ceux-ci n'ont pas encore été approuvés par la FDA pour le traitement de l'inquiétude, mais vous pouvez en discuter avec votre médecin afin de savoir s'ils vous conviennent.

L'hydroxyzine

L'hydroxyzine (Atarax) est un antihistaminique qui a démontré une certaine efficacité dans le traitement du trouble d'anxiété généralisée (Llorca *et al.*, 2002). Cependant, pour atteindre son plein effet thérapeutique, il lui faut autant de temps que les ISRS, voire plus. Le mécanisme derrière ses propriétés anxiolytiques n'est pas clair, mais il semble relié à ses effets sédatifs.

La prégabaline

La prégabaline (Lyrica), qui présente également des propriétés anxiolytiques, a démontré une certaine efficacité dans le traitement du trouble anxieux généralisé (Pohl *et al.*, 2005; Rickels *et al.*, 2005). Il fait actuellement l'objet d'une évaluation en vue d'une approbation par la FDA pour le traitement de l'anxiété généralisée. Il agit en inhibant la libération d'excédents de neurotransmetteurs excitateurs dans les canaux calciques du système nerveux central. La prégabaline, qui doit être prise au moins deux fois par jour, est bien tolérée par la plupart des patients.

REMÈDES À BASE DE PLANTES MÉDICINALES

De plus en plus populaires ces dernières années, les solutions alternatives naturelles aux médicaments sont attrayantes pour de nombreux patients anxieux. En fait, les personnes éprouvant de l'anxiété sont les plus susceptibles de rechercher des traitements de remplacement (Kessler *et al.*, 2001). Malheureusement, en dépit de tout ce qui peut se dire sur les avantages des produits à base de plantes, il y a à l'heure actuelle bien peu de preuves scientifiques à l'appui de ces traitements de substitution. Par ailleurs, ces substances ne sont pas réglementées de la même manière que les médicaments examinés précédemment dans ce chapitre. Aussi, sait-on peu de choses sur leur efficacité, leur dosage, leurs effets secondaires ou leurs interactions avec d'autres médicaments.

Nous n'en savons pas encore suffisamment sur les produits à base de plantes médicinales pour en recommander l'utilisation dans le traitement de l'anxiété. Toute utilisation de remèdes à base de plantes devrait faire l'objet d'une discussion en détail avec votre médecin, surtout si vous prenez également d'autres médicaments, car ces substances peuvent avoir des effets indésirables ou causer des interactions néfastes.

Envisagez-vous de prendre des médicaments ?

Votre décision de prendre des médicaments devrait être basée sur vos préférences personnelles, sur votre connaissance des diverses options médicamenteuses possibles et sur la discussion que vous aurez avec votre médecin traitant. Voici quelques questions à considérer lorsque vous prendrez cette décision :

- Dans votre cas, les exercices de ce livre ont-ils réussi ? Et si oui, comment ? Avez-vous remarqué une diminution de vos symptômes ? Êtes-vous parvenu à pratiquer les techniques cognitivo-comportementales ? Avez-vous eu des difficultés à faire fonctionner ces techniques et à vous y tenir ?

- Trouvez-vous difficile de faire face aux symptômes physiques de l'anxiété, même si vous utilisez des techniques de gestion de l'anxiété ?

- Votre état de santé vous empêche-t-il de prendre des médicaments pour l'anxiété ?

- Prenez-vous d'autres médicaments qui peuvent interagir avec les médicaments pour le traitement de l'anxiété ?

- Comment avez-vous réagi à tous les médicaments que vous avez pris précédemment pour traiter l'anxiété ? Avez-vous tendance à être sensible aux effets secondaires des médicaments ?

- D'autres options de traitement, comme la thérapie cognitivo-comportementale, sont-elles offertes dans votre collectivité ?

Exercice : soyez prêt à parler à votre médecin

Maintenant que vous en savez un peu plus sur les options de médicaments s'offrant à vous, et que vous avez examiné certains points pouvant être utiles à votre prise de décision, établissez une liste de questions à poser en priorité à votre médecin. Apportez cette liste lors de votre prochain rendez-vous et exprimez franchement vos préoccupations afin de décider ensemble de la meilleure voie à suivre.

Points importants

- ❖ Plusieurs médicaments ont été approuvés par la FDA pour le traitement du trouble anxieux généralisé.
- ❖ Les médicaments présentent des avantages et des inconvénients que vous devez soigneusement évaluer en fonction de votre situation.
- ❖ Bien que des remèdes à base de plantes soient souvent vantés pour leur efficacité à traiter l'anxiété, peu de données de recherche existent pour appuyer ces affirmations.
- ❖ Vous devriez toujours consulter votre médecin avant de commencer à prendre des médicaments à base de plantes médicinales pour traiter l'anxiété.

Postface

Maintenir ses gains

Après avoir appliqué les solutions décrites dans ce livre, vous avez très probablement noté une diminution sensible de votre inquiétude. Tout en travaillant à la maîtriser, vous avez sans doute aussi remarqué, comme nous d'ailleurs, qu'elle est un ennemi des plus coriaces. Remplie de victoires et d'échecs, la lutte contre l'inquiétude est souvent difficile… jusqu'au jour où elle bat finalement en retraite. Prenez le temps de vous féliciter pour avoir eu finalement le dessus. Un tel succès est digne de mention et de célébration !

Lorsque vous aurez fait des progrès dans la gestion de votre inquiétude, votre prochain défi consistera à conforter vos gains. Pour stabiliser votre progrès – et maîtriser votre inquiétude face à la vie – vous devez traverser quatre étapes clés: appliquer de façon continue les stratégies énoncées dans ce livre; détecter précocement le retour d'une inquiétude; recenser les inquiétudes improductives; et utiliser les solutions qui fonctionnent le mieux pour vous afin de gérer les nouvelles inquiétudes improductives.

La première étape clé consiste à appliquer les solutions décrites dans ce livre. En travaillant de manière continue à comprendre ces concepts et ces compétences, vous ferez un grand pas en avant et empêcherez ainsi votre inquiétude de reprendre le dessus. Tout comme il faut faire régulièrement de l'exercice pour rester en forme, il faut s'entraîner régulièrement à maîtriser l'inquiétude.

Il est également impératif que vous vous rendiez compte du moment où vous commencerez à vous inquiéter de nouveau. En identifiant immédiatement l'intrusion de l'inquiétude, vous pourrez agir vite... de façon à vous ressaisir avant qu'elle ait eu le temps de reprendre racine. Certains signes avant-coureurs peuvent se manifester par un retour des symptômes physiques causés par l'anxiété, ou par des pensées négatives plus fréquentes. La détection précoce de ces signes est cruciale ; car lorsque l'inquiétude est de retour, elle prend souvent une forme différente. Rappelez-vous que la première solution décrite dans ce livre consiste à faire la liste de vos inquiétudes. Toutefois, cette liste représente vos inquiétudes à un moment donné. Vos inquiétudes peuvent changer au fil du temps et ce sera fort probablement le cas pour vous. Sachez aussi que les nouvelles inquiétudes peuvent être radicalement différentes des anciennes. Toutefois, même si vos inquiétudes se transforment, vous pourrez utiliser les mêmes techniques pour les gérer.

Lorsque vous vous rendez compte que vous êtes encore en train de vous inquiéter à l'excès, demandez-vous si votre inquiétude est productive ou improductive. En d'autres termes, vous aide-t-elle à rechercher des solutions possibles et vous motive-t-elle à résoudre vos problèmes ? Ou êtes-vous plutôt pris au piège dans un inextricable labyrinthe d'inquiétude, tournant en rond sans jamais pouvoir trouver d'issue ? Si l'inquiétude ne vous mène pas à une véritable résolution des problèmes, c'est qu'elle est improductive.

Si vous reconnaissez votre inquiétude comme étant improductive, mettez ce livre en parallèle avec votre propre expérience. Toutes les étapes décrites dans ce livre sont efficaces contre l'inquiétude, mais toutes ne seront pas efficaces pour tous. Comme la plupart des lecteurs, vous avez probablement trouvé dans ce livre certaines solutions plus utiles que d'autres. Lesquelles ont fonctionné le mieux pour vous? Notez dans votre cahier les stratégies qui vous ont le plus aidé. Ces stratégies constituent la clé pour continuer à maîtriser votre inquiétude. Lorsque l'inquiétude improductive se manifestera de nouveau – et vous pouvez être sûr que tel sera le cas – référez-vous à ces solutions. À titre d'exemple, s'il vous a été particulièrement utile d'affronter vos pensées déformées, restez à l'affût de nouvelles pensées déformées. Lorsque de telles pensées surviendront, utilisez les stratégies proposées au chapitre 4 pour démêler votre réflexion. Et si vous avez trouvé ces techniques de relaxation bénéfiques, pratiquez-les régulièrement.

Lorsque vous souffrez d'une nouvelle attaque d'inquiétude, vous pouvez vous sentir démoralisé et vaincu. Vous pourriez aussi être tenté d'essayer un nouveau remède ou une approche différente pour y faire face. Quand l'inquiétude revient, on a souvent tendance à essayer de réinventer la roue. Tout comme les personnes perpétuellement au régime et en quête de la plus récente nouveauté en matière de nutrition, vous pourriez vous surprendre à rechercher de nouvelles approches pour gérer votre inquiétude et retrouver ainsi un sentiment de détente et de maîtrise. Cette tentation est des plus naturelles. Toutefois, dans la plupart des cas, l'approche la plus efficace réside dans les mêmes solutions que celles qui ont fonctionné avec succès la première fois. À condition d'y investir le temps et les efforts nécessaires, il est donc fort probable que ces solutions fonctionneront de nouveau pour vous.

Ces quatre étapes, que nous venons de décrire, sont la clé qui vous servira à maintenir vos progrès et à vous débarrasser de l'inquiétude pour de bon.

Avez-vous besoin d'une aide supplémentaire ?

Si vous estimez que l'inquiétude est encore un problème important pour vous, après avoir mis en pratique les solutions décrites dans ce livre, peut-être auriez-vous intérêt à chercher une aide supplémentaire. Un thérapeute, formé à la thérapie cognitivo-comportementale et ayant une solide expérience des troubles de l'anxiété, pourrait être la personne adéquate pour vous aider à débloquer votre inquiétude. Des organisations professionnelles, telles que des associations de thérapies comportementales et cognitives, vous aideront à trouver un thérapeute qualifié dans votre région.

Kevin L. Gyoerkoe, Psy. D., est codirecteur de l'Anxiety and Agoraphobia Treatment Center à Chicago et à Northbrook (Illinois). Il est également professeur adjoint au Chicago School of Professional Psychology, membre accrédité de l'Academy of Cognitive Therapy et membre du Conseil consultatif scientifique de l'Obsessive Compulsive Foundation de Chicago.

Pamela S. Wiegartz, Ph. D., est professeure adjointe de psychologie clinique à l'Université de l'Illinois à Chicago, où elle enseigne la thérapie cognitivo-comportementale. Tout en assumant la direction de l'Obsessive Compulsive Disorders Clinic, elle consacre sa pratique au traitement des personnes présentant des troubles d'anxiété. Elle a publié de nombreux articles sous comité de lecture et rédigé des chapitres de livres dédiés au traitement de l'anxiété; elle est membre accréditée de l'Academy of Cognitive Therapy et membre du Conseil consultatif scientifique de l'Obsessive Compulsive Foundation de Chicago.